AUTHENTIC GAMES

A BATALHA CONTRA HEROBRINE

Ilustrações: Thiago Ossostortos
Fotos de Estúdio: Fernando Gardinali
Projeto Gráfico e Diagramação do Miolo: Aline Santos

Dados Internacionais de Catalogação na Publicação (CIP)
Angélica Ilacqua CRB-8/7057

T83a

Túlio, Marco
AuthenticGames: A Batalha Contra Herobrine /
Marco Túlio. – Bauru-SP : Astral Cultural, 2019.
112 p.

ISBN: 978-85-8246-954-5
1. Literatura infantojuvenil 2. Minecraft (Jogo) I. Título

19-0975 CDD 028.5

Índice para catálogo sistemático:
1. Literatura infantojuvenil

Segunda reimpressão
Impressão: LIS
Papel de Miolo: Lux Cream 70g

ASTRAL CULTURAL EDITORA LTDA.

BAURU
Av. Duque de Caxias, 11-70
CEP 17012-151
Telefone: (14) 3235-3878
Fax: (14) 3235-3879

SÃO PAULO
Rua Major Quedinho 11, 1910
Centro Histórico
CEP 01150-030
Telefone: (11) 3048-2900

E-mail: contato@astralcultural.com.br

AUTHENTICGAMES: A BATALHA CONTRA HEROBRINE

E AÍ, MANINHOS!

No primeiro livro da trilogia **AuthenticGames**, *A Batalha da Torre*, você enfrentou vários desafios, na companhia de amigos como o Jorge e a Nina, para me salvar de um terrível sequestro.

Um exército de estranhos esqueletos havia me levado para uma torre na Terra dos Mobs, um lugar bem distante da Vila Farmer e cheio de perigos. O pior é que eles também roubaram a minha espada de diamante e, desarmado, a única coisa que eu pude fazer foi esperar.

Você, no papel do meu grande amigo Builder (lembra-se como se pronuncia? É "bilder", que significa construtor em in-

glês), enfrentou um monte de mobs para me resgatar. Foram centenas de aranhas, creepers, esqueletos, monstros de lava... E ainda teve o Herobrine, que apareceu nos seus sonhos fazendo ameaças horríveis.

Neste segundo livro da trilogia AuthenticGames, nós vamos curtir uma nova aventura para salvar o mundo da superfície da influência dos mobs do mal. Para isso, o primeiro passo é recuperar a minha espada, que está escondida no Nether. Nesse novo caminho, vamos conhecer pessoas, enfrentar desafios e provar, mais uma vez, que é muito bom ter amigos para nos apoiar em momentos difíceis.

Vamos lá, maninhos e maninhas?

Vai começar mais uma aventura de **AuthenticGames**!

1 

UMA NOVA JORNADA

BUILDER ACORDOU POUCO ANTES DE AMANHECER COM um barulho forte e estranho, como se fosse um ronco monstruoso. Assustado, ele se levantou com um pulo e buscou desesperadamente por uma espada, uma picareta ou qualquer coisa que pudesse usar para se defender do mob que provavelmente estava escondido no seu quarto, prestes a atacá-lo. O som persistia cada vez mais alto, mas ele não conseguia encontrar a origem do barulho. Só depois de alguns minutos percebeu que, na verdade, o ronco vinha de seu estômago. Builder já estava com fome, pra variar...

Mais calmo, ele caiu de volta na cama, esperou até que o coração voltasse a bater no ritmo normal e só então deu uma longa espreguiçada. Builder se levantou para preparar o café e olhou pela janela de sua casa. Tudo parecia estar do mesmo jeito de sempre na pacata Vila Farmer...

...a não ser pela recém-criada muralha ao redor do vilarejo.

Era estranho não conseguir ver o horizonte da sua janela. E, pelo jeito, Builder não era o único a ficar incomodado com isso. Todos pareciam não gostar do novo cenário, mas sabiam que se tratava de uma medida de proteção depois de tudo o que aconteceu na Terra dos Mobs. Após a construção da muralha, os moradores voltaram a se sentir seguros, ainda mais agora que Authentic, o grande herói da vila, estava de volta.

Já havia se passado um mês desde a batalha na Terra dos Mobs. Logo após a grande festança que aconteceu assim que Authentic, Nina e Builder retornaram, os três foram chamados para uma reunião com o Pequeno Conselho para que contassem os desafios que haviam enfrentado. Por mais que todos estivessem felizes com o resgate de Authentic, era possível ver a preocupação nos olhos deles ao saberem que o Ender Dragon tinha intenção de acabar com o mundo da superfície. Para piorar a situação, a espada de diamante do Authentic havia sido levada para o Nether e estava claro que o nosso herói precisaria enfrentar uma arriscada jornada para recuperá-la.

A primeira decisão dos membros do conselho foi construir uma grande muralha em torno da vila. Eles estavam com medo dos monstros ficarem mais corajosos e resolvessem atacar a vila. Não que aquilo fosse capaz de protegê-los contra alguma ação do Ender Dragon, mas já era alguma coisa.

Mas o clima de insegurança existente nas reuniões do Pequeno Conselho não chegou a afetar a felicidade dos moradores. Isso porque o Prefeito fez questão de poupar o povo dos detalhes mais perigosos da jornada dos heróis.

Assim, sem saberem dos perigos que a vila ainda corria, os moradores viviam em festa. Porém, para Builder, a situação era bem diferente. Ele sabia que a fase de sossego estava perto do fim. Logo ele partiria ao lado do amigo Authentic para ajudar a resgatar a espada do herói. Certamente a jornada seria difícil, mas algo ainda mais estranho o atormentava. Os sonhos com Herobrine estavam cada vez mais frequentes.

– Em breve nós nos encontraremos, aventureiro – sussurrou Herobrine com sua voz aterrorizante. – Veremos qual de vocês terá coragem de me enfrentar quando a hora chegar.

– Você nunca vai acabar com o nosso mundo! – gritou Builder, lutando contra a terrível sensação de não conseguir se mexer, como acontece às vezes nos sonhos.

– Veremos, aventureiro... veremos – o vilão disse enquanto ria.

Então, a planície do Nether, que aparecia sempre nos sonhos de Builder, começou a se dissolver rapidamente, ao mesmo tempo em que o aventureiro acordava assustado.

Com a caneca de café na mão, Builder decidiu aproveitar o ar do lado de fora da sua casa. Ele caminhou pelo seu quintal, pensativo, sentindo o calor do sol, quando...

– Psiu! Psiu! Ei, Builder!

O som vinha da cerca ao lado da casa, mas Builder não conseguia ver quem o chamava. Quem será que estava lá?

MANINHO, PRESTE ATENÇÃO NAS PISTAS E DESCUBRA: QUEM ESTÁ ESCONDIDO ATRÁS DA CERCA?

A cesta de pães no chão não deixava dúvidas. Era Nina quem estava escondida atrás da cerca.

– O que você está fazendo aí, Nina? Por acaso, você virou aprendiz de espião?

– Ha, ha, engraçadinho! Você sabe muito bem que eu estou de castigo! Meu pai só me deixa entregar os pães do dia, desde que eu não me meta em encrenca.

Depois que a festança que comemorou a volta dos aventureiros acabou, Arthur, o pai de Nina, ficou furioso por ela ter fugido e atravessado toda a península enfrentando mobs perigosos e colocou a garota de castigo "para o resto da vida".

Apesar de a garota ter ajudado muito na busca por Authentic, Builder entendia por que o pai dela precisava agir assim: a filha era a única pessoa que o padeiro tinha na família e ele morria de preocupação quando ela ficava longe.

– Sei... ele não mudou de ideia, então? – perguntou Builder.

– Que nada! Meu pai está muito chato. Quer ficar grudado em mim o tempo todo! Como se ele não soubesse que logo nós começaremos uma nova aventura...

– Nós quem, mocinha? – Builder perguntou com uma mistura de irritação e divertimento. É claro que a companhia de Nina seria bem-vinda, mas, ao mesmo tempo, ele não queria que ela se arriscasse mais uma vez.

– Ai, nem vem com essa você também, Builder! Já basta meu pai me dizendo o tempo todo como é perigoso sair por aí!

– É bem perigoso mesmo e você sabe disso! – o aventureiro explicou, deixando de lado seu jeito divertido e dando lugar à preocupação. – Tivemos muita sorte lá na Terra dos Mobs e eu acho que você deveria escutar mais o seu pai!

Builder saiu andando com passos firmes, muito irritado, deixando Nina em seu jardim. Era hora de começar os trabalhos do dia, mas sem o habitual bom humor das manhãs.

Chegando perto do centro da Vila Farmer, Builder avistou Authentic brincando com algumas crianças. Enquanto o herói desviava de um garoto no que parecia uma movimentada brincadeira de pega-pega, Authentic notou Builder se aproximando e acenou, com um sorriso enorme no rosto.

– Faaala, maninho! – A animação do Authentic foi logo rebatida com a expressão emburrada de Builder. – Que cara é essa? – continuou, sem entender como alguém poderia estar irritado em um dia tão bonito.

– Ah, é a Nina... ela fica insistindo nessa ideia de que vai com a gente para o Nether! – Builder respondeu ao herói, ainda mal-humorado.

– Bom... – respondeu Authentic, revirando os olhos para o mau humor do amigo –, seria tão absurdo assim se ela nos acompanhasse nessa aventura?

– Claro que seria – Builder respondeu na mesma hora, quase sem pensar no assunto. – O maior dos absurdos. Ela tem que ficar!

– Legal! – Authentic disse, bagunçando a cabeça de um baixinho que passou correndo entre os dois. – Porque ela vai com a gente.

– O QUÊ?!

– Maninho, fala sério... você realmente acha que o castigo do Arthur ou a sua irritação vão impedir aquela garota de fazer alguma coisa? Estamos falando da mesma Nina, né? – Authentic respondeu com um tom de divertimento na voz.

– Mas... mas... ela não pode ir, Authentic!

Authentic levantou os ombros.

– Por quê?

– Porque é muito perigoso, poxa!

– Ah, maninho... Você sabe que me resgatar na Torre dos Mobs também era superperigoso, mas vocês tiraram de letra! Eu entendo sua opinião, sei como a Nina é quase uma irmãzinha pra você, mas ela é cabeça dura e toma as próprias decisões. Além de saber se virar muito bem! – o herói respondeu com uma piscada, voltando a brincar com as crianças.

– Humpf – resmungou Builder, cruzando os braços. Ele queria insistir na ideia de não colocar mais ninguém em perigo, mas, ao mesmo tempo, se lembrava de como Nina havia lutado nos últimos andares da torre... E ela havia sido incrível! Tanta rapidez e coragem haviam garantido que eles cumprissem a missão de resgate.

– Ei, isso é um sorriso aparecendo no seu rosto? Já estava na hora! – Authentic brincou, observando o amigo pensativo. – Por acaso, você está mudando de ideia?

Builder sentiu as bochechas ficarem vermelhas e voltou a fazer cara de bravo. Não queria dar o braço a torcer.

– Eu ainda acho que você está maluquinho. O que fizeram com a sua cabeça lá na Torre dos Mobs, hein? – ele disse.

Builder nunca tinha ficado tão mal-humorado em toda sua vida, nem mesmo quando estava cercado por aranhas gigantescas na Floresta das Agulhas. Mas ele se arrependeu de ter dito a última frase para o Authentic assim que as palavras saíram da sua boca, pois aquele sequestro tinha sido um ato horrível e ele sabia que não deveria brincar com o assunto.

Já Authentic, entendendo como o amigo se sentia, deixou o comentário passar sem dizer nada e voltou a atenção para as crianças que corriam e gritavam ao redor dos aventureiros. Ele, melhor do que ninguém, tinha noção dos perigos que os esperavam nessa viagem. Por isso, sabia que evitar brigas era uma boa forma de começar essa jornada.

Decidido a melhorar de humor, Builder foi buscar algo para comer, pois a sua fome nunca desaparecia. Lembrando muito bem da sua experiência recente, o aventureiro resolveu comer o máximo possível, pois a viagem que fariam não os levaria a um lugar com mercearias, barracas de frutas nem padarias que vendem pães quentinhos. Definitivamente os amigos não teriam um piquenique farto à beira da estrada.

Após encher a barriga, Builder foi até a prefeitura para uma reunião com o Prefeito, que definiria os detalhes da sua aventura. Sentindo-se mais confiante, foi entrando sem bater e se dirigindo à sala do Pequeno Conselho. Ao chegar, percebeu que todos os outros participantes estavam à sua espera. Como era previsto, Authentic e o Prefeito já estavam lá, mas a surpresa mesmo foi ver Jorge em uma das cadeiras. O morador solitário da Floresta das Agulhas estava lá para oferecer ajuda aos aventureiros. O apoio de Jorge seria muito bem-vindo nessa jornada até o Nether, afinal, Builder sabia que seus conselhos fariam a diferença para garantir a sobrevivência dos heróis em lugares perigosos.

Completando o grupo, para grande irritação e incômodo de Builder, Nina estava sentada na janela, sorrindo e com sua velha mochila nas costas, já pronta para partir.

– Bem, não preciso lembrar a importância do sucesso dessa jornada, senhores – falou o Prefeito, com um tom grave e preocupado. – Não só a ida ao Nether, mas também os desafios além dele, até que a ameaça do Ender Dragon seja eliminada.

– Isso aí vai ser moleza com nós três juntos, Prefeito! – exclamou Nina, descendo da janela com um pulo de alegria.

– Aparentemente o senhor Jorge tem uma ideia para poupar tempo na viagem e correr menos riscos... – disse o Prefeito, interrompendo Nina. Estava claro que ele não queria incentivar a garota a participar, pois sabia o que o pai dela, o padeiro Arthur, pensava a respeito das aventuras de Nina.

Antes de falar, Jorge teve um pequeno ataque de tosse, afinal, já não era tão novo quanto o Authentic e o Builder...

– Aham... é verdade. Há dois caminhos para o Porto das Lágrimas: o curto e o mais longo. Eu sugiro que nós peguemos esse caminho pela Floresta das Agulhas, desviando do ninho das aranhas, em vez da trilha mais curta – ele disse, mostrando o mapa para todos que estavam na sala.

– O que você acha, Builder – Authentic perguntou. – Qual caminho você prefere encarar nessa aventura?

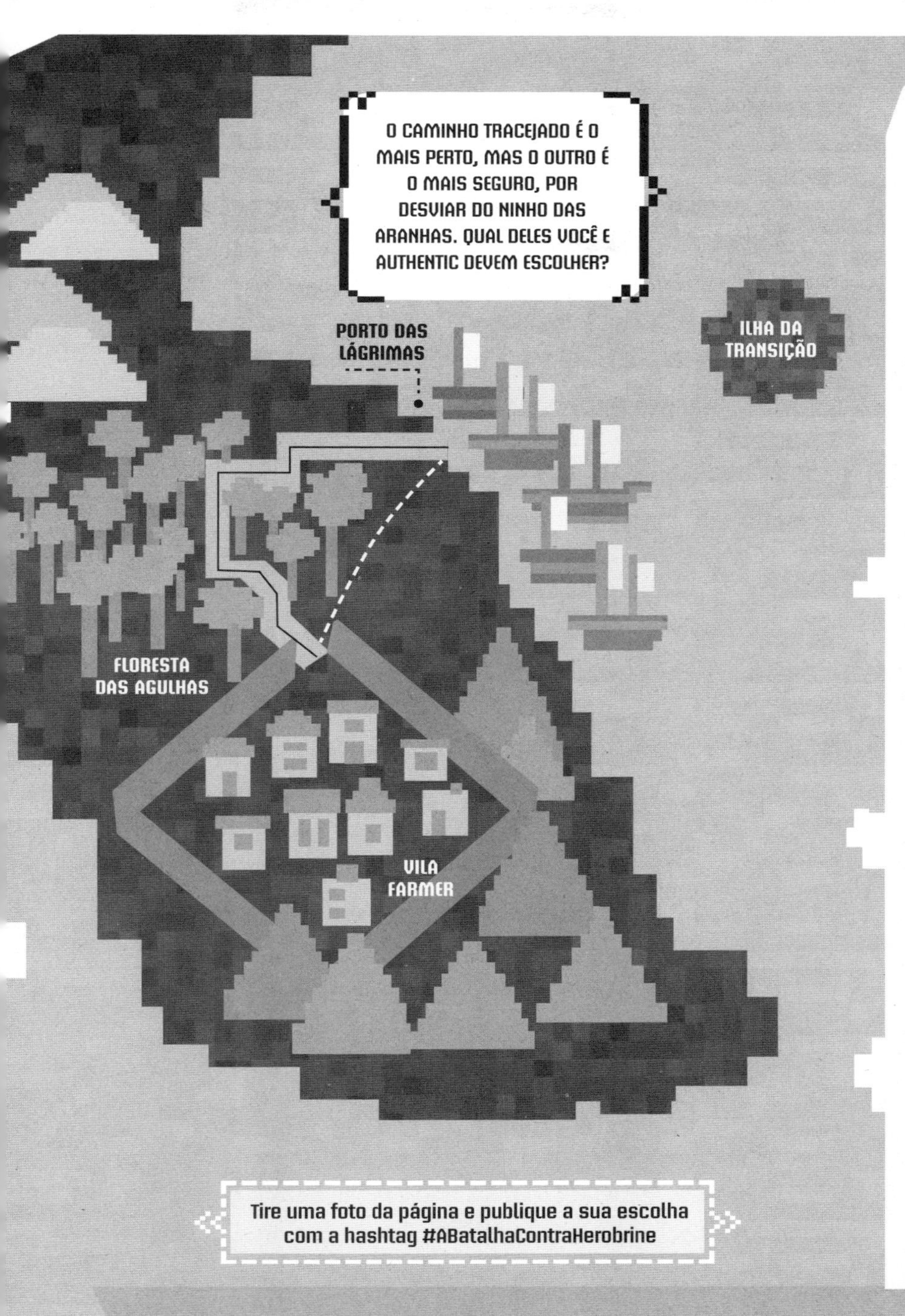
O CAMINHO TRACEJADO É O MAIS PERTO, MAS O OUTRO É O MAIS SEGURO, POR DESVIAR DO NINHO DAS ARANHAS. QUAL DELES VOCÊ E AUTHENTIC DEVEM ESCOLHER?
PORTO DAS LÁGRIMAS
ILHA DA TRANSIÇÃO
FLORESTA DAS AGULHAS
VILA FARMER
Tire uma foto da página e publique a sua escolha com a hashtag #ABatalhaContraHerobrine

– Boa decisão, Builder – Authentic disse. Acho o melhor caminho também – completou.

– Ótimo. E então vocês vão pegar um barco nesse pequeno porto até a Ilha da Transição.

Builder encarava o mapa atentamente para se familiarizar com o caminho escolhido e só então conseguiu reagir à fala de Jorge, totalmente espantado.

– Como assim *vocês* vão pegar um barco? – perguntou Builder. – Pensei que você ia com a gente, Jorge!

– Não posso, rapaz – o homem respondeu, com tristeza na voz e uma careta no rosto. – Minha perna ainda não está totalmente recuperada daquela confusão com os creepers...

Builder se lembrava muito bem daquele encontro. Nunca tinha visto tantos creepers juntos, e as árvores que caíam com as explosões dos mobs não ajudavam em nada naquela situação. Se não fosse a ajuda de Jorge, Builder tinha dúvidas se teria conseguido completar sua missão de resgate.

O aventureiro deixou as lembranças de lado e voltou o seu pensamento para o presente. Authentic encarava todos da sala sem mudar a expressão do rosto. Parecia que estava guardando energia para os desafios que estavam por vir. Já Nina não parava de falar desde que Jorge mencionou a luta com os creepers:

– ...daí, quando o creeper tá olhando para o outro lado, você vai lá e PLOFT! Uma flecha bem colocada e ele faz BUM! Eu não sei se comentei, mas quando a gente estava na torre...

– Cooooomo eu dizia – interrompeu o Prefeito, deixando

a garota ainda mais brava –, a ajuda de Jorge será fundamental para que atravessem a floresta. Consegue mesmo guiá-los até o porto, meu amigo? – perguntou ao Jorge.

– Claro que sim! Minha perna não está tão ruim assim, e essa caminhada parece ser tranquila. Só não conseguirei continuar até a Ilha da Transição – ele respondeu.

– O que nós faremos nessa ilha? – Builder perguntou.

– É lá onde tem o único portal para o Nether de toda a região – Authentic respondeu. O tom confiante em sua voz fez parecer que ele já conhecia bem o lugar, fazendo com que todos se sentissem mais tranquilos na sala.

– Deveríamos sair antes do anoitecer para aproveitar um pouco de luz, maninhos. – Authentic continuou, já se levantando e pegando o mapa. – Nós nos encontramos no portão da vila daqui duas horas, que tal? – perguntou a Builder, tentando acabar com aquela reunião o quanto antes. Ele sabia que cada minuto era precioso para a jornada que iriam enfrentar.

Todos concordaram com a cabeça, encerrando a reunião. Nina abriu a boca como se fosse falar algo, mas pensou duas vezes, se calou e saiu da sala pela janela, provavelmente da mesma maneira que havia entrado, já que todos sabiam que ela não tinha sido oficialmente convidada pelo Prefeito para a reunião.

– Tsc, tsc... essa garota é indomável! – comentou o Prefeito, tentando esconder um sorriso no rosto. – Vai ser difícil segurá-la aqui. Por isso, tomem conta dela, por favor. Arthur é um grande amigo...

– Pode deixar, Prefeito! Ela vai voltar sã e salva! – Authentic respondeu, já com a certeza de que Nina os acompanharia na viagem até o Nether.

Builder olhava para os dois com a cara fechada, enquanto Authentic tentava acalmá-lo dando tapinhas em suas costas. Ele sabia que as intenções do herói eram as melhores, mas ainda sentia um medo enorme quando se lembrava dos momentos difíceis que passou com Nina na Terra dos Mobs. Como se considerava um irmão mais velho da garota, essas memórias o preocupavam muito.

Mesmo assim, eles teriam que encarar uma grande aventura pela frente, e Builder decidiu então que era a hora de começar a se preparar para a partida.

Builder foi até sua casa para arrumar sua mochila, com tudo que precisaria na jornada: bússola, arco e muitas flechas estavam entre os itens escolhidos. Ele decidiu levar também sua nova armadura, adquirida no resgate de Authentic, a espada nova que o ferreiro fez especialmente para os "campeões da Vila Farmer" após o retorno triunfal dos três heróis, muitas tochas e bastante comida.

Depois de colocar tudo na mochila, ele olhou ao redor do quarto, se despedindo do local e tentando ver se não tinha se esquecido de nada. Ao perceber que estava quase tudo certo, só faltava um último item em sua lista. Builder ainda pretendia levar a sua picareta preferida, mas não conseguia encontrá-la no seu quarto, que estava todo bagunçado.

Onde ela estaria?

MANINHO, VOCÊ PODE AJUDAR A ENCONTRAR A PICARETA?

Tire uma foto da página, publique com a hashtag #ABatalhaContraHerobrine e mostre como você pode ser um grande detetive.

– Achei!

E agora? Será que faltava mais alguma coisa para levar? Builder resolveu fazer uma lista com todos os itens que ele já havia pegado e colocado na mochila para tentar descobrir se havia se esquecido de algo importante.

Com todos os itens importantes na mochila, Builder seguiu para os portões da vila, que, após as reformas de segurança, mais pareciam a entrada de um grande castelo medieval, com direito a uma ponte levadiça.

Uma pequena multidão tinha se reunido próximo ao portão, fazendo um semicírculo ao redor dos aventureiros. A maioria estava cochichando, criando um zumbido que podia ser ouvido de longe. Outra coisa que podia ser ouvida a distância era uma briga das boas, com gritos que chamavam a atenção das pessoas no local.

Ao se aproximar, Builder notou que todos já estavam prontos... Mas não pôde deixar de reparar que havia uma pessoa a mais no grupo e ela tinha cheiro de pão recém-saído do forno: Nina, que estava discutindo com o pai.

– Já disse mil vezes que não, mocinha! A senhorita está de cas-ti-go! Não vou permitir que saia de casa, muito menos para ir a um lugar tão perigoso! – O padeiro disse pausadamente, sem alterar seu tom de voz.

– Eu não sou mais criança, pai! – Nina respondeu. – Isso é o que eu quero fazer da minha vida!

– Você é criança, sim. Para mim, você ainda é criança. E não vai nessa aventura de jeito nenhum!

– Por favor, pai! – a menina implorou. – Eu não quero partir de novo sem a sua bênção. Eu aprendi a minha lição. Mas eu sou uma aventureira, pai. Você tem que entender que essa é a vida que eu escolhi para mim.

Authentic, sabendo como Nina tinha amadurecido após a jornada dela e de Builder para resgatá-lo, decidiu conversar com o padeiro.

– Arthur, com todo o respeito e a amizade que eu tenho pelo senhor, é melhor deixar a Nina ir. Ela é uma garota forte, corajosa e muito habilidosa com as flechas. Além disso, é melhor ela partir agora, ao nosso lado. Se ela fugir de novo e for sozinha, ninguém poderá protegê-la. É muito mais perigoso!

Arthur ainda mostrava preocupação nos olhos, mas aos poucos a expressão de raiva se desfez.

– Você promete que vai trazê-la de volta, sã e salva?

– Eu prometo que vou fazer tudo o que estiver ao meu alcance para que ela não se machuque e volte sem um único arranhão! – respondeu o herói.

– Não vou dizer que quero que ela vá, mas, se você promete cuidar dela, eu fico mais tranquilo. Sei que o espírito aventureiro corre nas veias dela e não posso lutar contra isso para sempre.

– Ebaaa! – comemorou a garota. – Agora ninguém pode me impedir de ser uma aventureira. Se eu fosse você, ficaria orgulhoso de ter uma filha tão corajosa – brincou com o pai, abraçando-o bem forte.

– Vamos, pessoal! – Pisando duro, Nina liderou a saída do grupo portão afora, deixando os outros moradores boquiabertos, enquanto Authentic, Builder e Jorge passavam pelo padeiro despedindo-se apenas com um olhar amigo.

2

MANSÃO DO BARULHO

— AAAAAI, MAS COMO MEU PAI É CHATO! — GRITOU NINA, quando já estava muitos metros depois do portão da vila. – Ele me fez pagar o maior mico na frente de todo mundo da Vila Farmer! E pra quê? Ele acabou me deixando vir. Não precisava de todo aquele show – completou com uma fungada.

– Ah, Nina, pense bem, quem é que fez show na frente de todo mundo: ele ou você? – Authentic disse para a garota, que o encarava contrariada. – Além disso, o seu pai só estava preocupado com você e com toda a razão. Ele te ama muito e só quer o seu bem – continuou Authentic.

Jorge e Builder não ousaram comentar as exclamações de Nina, com medo de complicarem ainda mais a situação –

ou de levarem um empurrão da garota. Mas a reação de Nina surpreendeu a todos:

– Eu sei – ela respondeu com a cabeça baixa, aparentemente envergonhada com o que havia acabado de dizer. – Meu pai se preocupa comigo porque somos só nós dois. Ele cuida de mim e eu cuido dele. Sempre foi assim. Fiquei chateada com o castigo que ele me deu quando voltamos da primeira aventura, mas sei que ele tinha razão...

– Então, chega de reclamação – Authentic respondeu sorrindo para a garota.

Jorge e Builder ficaram impressionados em como o herói foi capaz de contornar a situação e acalmar aquela garota.

Após algum tempo, o grupo foi tomado por um silêncio muito intenso. O caminho havia se tornado um momento de concentração e foco, que só era quebrado por Jorge em alguns momentos, quando ele indicava novas direções e checava o mapa e a sua bússola. Os olhos dos quatro vigiavam cada canto da floresta. Builder era o mais preocupado, ainda mais depois dos sustos que ele teve na primeira vez em que esteve na Floresta das Agulhas.

A caminhada avançou até depois do pôr do sol e só então os companheiros montaram acampamento em uma pequena clareira. Eles fizeram um sistema de rodízio para vigiar o local. A cada duas horas um deles permanecia acordado, atento a todos os barulhos ao redor, cuidando para que não fossem atacados de surpresa por mobs. Authentic fez o primeiro e o último turno, para que os amigos pudessem descansar mais.

Na manhã seguinte, Nina já não exibia mais a cara mal-humorada que estava no dia anterior. A conversa com o herói tinha funcionado para deixar a garota mais animada, e a mudança de humor era clara para todos, o que aliviou o clima entre o grupo.

– Bom diaaaaaaa! Vamos correr uns riscos, enfrentar monstros, tentar sobreviver e coisa e tal?! – ela disse, com o entusiasmo de sempre.

Builder enfiou a cabeça debaixo da mochila que estava servindo de travesseiro. Jorge e Authentic, com a experiência que tinham, já estavam acordados e começavam a aprontar o café da manhã: café quente, bacon, pães e frutas. Foi só o cheiro da comida começar a inundar a floresta para Builder levantar apressado.

– Vamos, maninho. Tome um bom café, pois ainda temos muito o que caminhar – Authentic falou.

– Estou impressionado com o banquete que vocês conseguiram montar no meio da floresta – Builder comentou, já caminhando em direção à pequena fogueira, juntando-se aos demais companheiros.

Authentic abriu espaço para o amigo sentar e já foi logo perguntando: – Alguém viu ou ouviu alguma coisa durante a noite?

– Eu não – Jorge emendou.

– Também não – Builder respondeu.

– Eu só ouvi o Builder roncar – Nina brincou.

– Boa, Nina – Authentic entrou na onda. – Não é só o estômago do Builder que ronca então.

Todos riram durante um bom tempo, até mesmo Builder. As risadas só foram interrompidas pela voz de Authentic, em um tom preocupado: – Acho estranho ainda não termos trombado com nenhum mob.

– É curioso mesmo. Já devíamos ter encontrado um creeper ou uma aranha. – Jorge parecia tenso.

– Quem sabe dessa vez a gente vai ter sorte e não vai encontrar um único monstro – Builder disse, tentando parecer otimista, mas nem mesmo ele estava convencido disso.

O clima de nervosismo tomou conta dos amigos, que terminaram o café em silêncio. Assim que todos ficaram prontos, partiram para dentro da floresta. Jorge, que estava com a bússola, apontava o caminho. Conforme caminhavam, passaram por uma parte da floresta muito escura, onde as árvores ficavam bem próximas umas das outras. Por isso, durante um dia inteiro, eles tiveram a sensação de caminhar em um pôr do sol interminável, fazendo com que perdessem totalmente a noção do horário até o anoitecer. A vantagem é que eles pararam menos durante o caminho. Porém, os aventureiros ficaram supercansados. Quando finalmente decidiram dormir, não acenderam nem sequer uma fogueira.

No terceiro dia de viagem, os quatro deram de cara com uma cena muito estranha, que parecia ter saído diretamente de um sonho maluco: bem no meio das árvores, havia uma clareira minúscula, e nela foi construída uma mansão, que parecia muito antiga, pois tinha sinais claros de desgaste do tempo.

QUEM SERÁ QUE MORA NESTE CASARÃO ABANDONADO NO MEIO DA FLORESTA?

O casarão estava todo destruído. A pintura das paredes estava descascando, largas manchas de mofo cobriam o teto da varanda e um emaranhado de ervas daninhas já tinha dominado as grandes colunas que sustentavam o casarão. Como se já não fosse estranho o suficiente encontrar aquela casa gigante no meio de um lugar esquisito da floresta, as árvores ao redor dela eram diferentes das encontradas no restante da região. Possuíam uma aparência muito velha e retorcida, como se tivessem sido tiradas do cenário de um filme de terror.

– O que é isso aí, Jorge? – perguntou Nina, ainda mais animada com a estranheza da situação. – É perigoso? O que tem lá dentro? Vamos lutar contra mobs?!

– Eu nunca vi essa mansão antes! E olha que eu já passei por essas bandas mais de uma vez... Muitas vezes! – Jorge respondeu, com um tom preocupado. – Que estranho!

– Também nunca tinha visto isso aqui. Maninhos, estou achando tudo isso muito suspeito, fiquem atentos. – Authentic tirou a espada da mochila e olhou para todas as direções.

– Será que foram os mobs que construíram? – Builder perguntou ao herói.

– Se for, pode ter certeza de que eles estão por perto – Authentic comentou.

Os quatro se aproximaram lentamente do casarão, para investigar bem de perto o local. Os aventureiros pararam em frente à casa e tentaram olhar pelo vidro das janelas, mas todas estavam tão imundas e empoeiradas que era impossível enxergar qualquer coisa lá dentro. Continuaram a observar a construção:

tudo parecia estragado, inclusive a madeira que sustentava a casa, completamente tomada por cupins. Nenhum deles conseguia entender como aquelas paredes ainda estavam em pé.

– Essa casa está toda destruída! – disse Builder.

Authentic concordou com o comentário do amigo apenas com uma careta. Naquele instante, o herói escutou um ruído que, infelizmente, não dava para reconhecer em meio ao barulho da floresta.

– Estão ouvindo algo? – perguntou ele, colocando as mãos em concha atrás das orelhas. – Quietos! Parem de andar! – Authentic continuou, sem se mexer.

Nina, Builder e Jorge obedeceram imediatamente, já puxando as armas para se defenderem de um possível ataque. Mas um ataque de quê?

Jorge, com sua experiência, conhecia bem aquele barulho. Mesmo sem conseguir ver de onde vinha o som por causa da floresta ser fechada, ele sabia que se tratava de um grande número de creepers correndo em direção aos aventureiros.

– São creepers... – Jorge disse, tentando manter a calma, para não assustar os colegas.

O som aumentava de volume com uma velocidade surpreendente, criando imagens nada agradáveis na mente de Builder, que se lembrava muito bem da última vez que se viu rodeado de creepers. Nina sacou uma bomba da mochila, esperando apenas as criaturas se aproximarem para atirá-la.

– Nina, essa bomba só vai piorar tudo. Devem ser muitos. É muito arriscado – Jorge explicou.

– É melhor nos escondermos. Pra dentro da casa, rápido! – sussurrou Authentic. – E tentem não fazer barulho, pessoal!

Todos correram o mais rápido e mais silenciosamente possível para a mansão. Builder foi o último a passar pela porta e, de relance, podia jurar ter visto um pé verde surgindo de trás de uma árvore distante. O coração do aventureiro batia tão forte que parecia que ia sair pulando da sua boca.

Na casa, eles perceberam que a luz do sol não passava pelos vidros empoeirados das janelas, deixando o cômodo completamente escuro.

– Maninhos, fiquem parados. Enquanto não soubermos o que tem aqui, não estamos seguros. Quem tem uma tocha?

Builder se lembrou das inúmeras tochas que havia colocado dentro da mochila. Enfiou a mão pela abertura, mas era difícil encontrar algo no meio daquela escuridão.

– Flecha... picareta... machado... toch... Achei!!!

– Ótimo. Agora acende, Builder! – Nina disse, impaciente.

– Pessoal, vocês estão ouvindo uns passos? – Jorge falou.

– Vai, Builder. – Nina estava cada vez mais nervosa.

Builder acendeu o isqueiro, mas ainda não era possível ver nada além dos rostos dos colegas que estavam posicionados em uma espécie de círculo. Só quando ele colocou fogo na ponta da tocha que o salão se iluminou e eles puderam ver de onde vinha o barulho que Jorge havia escutado: todo o primeiro andar da casa estava repleto de creepers, que se aproximavam em direção dos quatro. *Se correr o bicho pega, se ficar o bicho come*, Builder pensou.

E AGORA? COMO VOCÊ, AUTHENTIC, NINA E JORGE VÃO CONSEGUIR ESCAPAR DESTA ENRASCADA?

Nina e Authentic já estavam com as espadas em punho, mas sem saber o que fazer com tantos monstros explosivos em um lugar fechado. Tomando a liderança, Authentic se virou para os amigos e falou a única coisa que uma pessoa esperta diria num momento daqueles:

– Cooorre, pessoal!

Em uma fuga desesperada, os aventureiros chegaram à escada que dava acesso ao andar superior antes dos mobs conseguirem reagir à presença do grupo. Rapidamente começaram a levantar uma proteção na escada com os móveis que viram por ali. Sofás, cadeiras, armários... Todos passaram a fazer parte daquele paredão torto, mas muito forte.

Apesar de deixá-los protegidos, a parede feita com os móveis da casa bloqueava o acesso ao primeiro andar. Mas, ao mesmo tempo, eles ficaram presos, o que os fez questionar como fariam para sair da casa. E, caso conseguissem, como lidariam com os creepers que estavam na floresta ao redor da casa? Por sorte, parecia que eles teriam bastante tempo para pensar como sairiam dessa confusão.

– Vocês não estão reparando em nada estranho? – Builder perguntou, assim que terminaram de empilhar os móveis. Curiosamente, os monstros do térreo se contentaram em ficar olhando para o grupo, sem tentar avançar nem explodir. O pior era que, pelo barulho que vinha de fora da casa, dava para notar que os creepers da floresta tinham se aproximado da mansão e provavelmente tinham cercado a propriedade. A coisa estava feia para o lado dos aventureiros.

– Alguém viu camas nos quartos aqui de cima? Parece que vamos tirar férias aqui por um tempinho... – brincou Authentic, tentando diminuir a tensão do momento.

Builder sorriu. – Quem dera que a cozinha ficasse no andar de cima! – disse, entrando na onda.

Jorge também estava bem-humorado e comentou aos amigos: – Nunca vi tantos creepers juntos, muito menos paradões desse jeito! Acho que vou até tirar uma foto!

– Espera um pouco aí, gente... Tem um monte de monstros bem na nossa frente, bloqueando a passagem, e vocês estão brincando? – perguntou Nina, indignada.

– Ué! – Builder exclamou, se dirigindo à garota. – Não era você que estava querendo encontrar uns mobs para lutar?!

– Relaxa, maninha! – Authentic começou, acalmando os ânimos dos dois. – Já que eles não vão conseguir subir, vamos aproveitar para ter uma noite confortável aqui. Amanhã continuaremos a trilha! – Authentic deu uma piscadinha e já foi saindo à procura de uma cama pelos quartos.

Jorge e Builder também começaram a explorar o andar superior, chegando até a assobiar tranquilamente durante a tarefa – e deixando uma Nina chocada plantada do lado da parede improvisada.

Depois que todos encontraram lugares confortáveis para dormir, se prepararam para ter uma noite de sono bem gostosa. Nina, desconfiada, preferiu não descansar, pois ficou com medo da casa ser atacada durante a noite. Ela se obrigou a estar pronta para o pior durante toda a madrugada, mas não aguentou o cansaço. Quando percebeu que não conseguiria mais ficar com os olhos abertos, acabou se aconchegando em uma poltrona velha em um dos quartos da mansão.

Horas depois, Nina acordou no melhor estilo Builder: sentindo o cheiro de comida. Ao perceber o aroma de pão, por um instante imaginou estar em casa, mas se levantou com um pulo ao se lembrar de todos os creepers no andar de baixo. Quando saiu do quarto que escolheu para ficar "de vigia" – o primeiro depois da escada –, viu os outros aventureiros comendo com entusiasmo. Seu estômago deu um ronco poderoso, o que fez com que todos se virassem na sua direção.

– Bom dia, Nina! Venha tomar café! – disse Builder, com a boca cheia. Mas ela parecia estar com muitas coisas entaladas na garganta e que precisavam ser ditas antes que pudesse se sentar e comer.

– Gente, eu não consigo entender essa calma toda de vocês! Tem um monte de creepers lá embaixo! – reclamou a garota para, na sequência, perguntar baixinho se eles ainda estavam por lá.

– Estão, sim. Mas não liga pra isso! Come, maninha. Tem pão, frutas e até um bolo que o Builder trouxe! – Authentic disse, feliz. – O café da manhã é a refeição mais importante do dia!

– Mas... mas... e agora, o que a gente vai fazer? – perguntou Nina, completamente confusa com a situação mais inusitada que já tinha visto.

– Ué, não era você que queria enfrentar uns monstros e correr perigo ontem? – provocou Builder novamente, mas agora de uma maneira mais divertida e despreocupada.

– Parem de brincar com ela, rapazes. A coitada está confusa – disse Jorge, com um tom de voz carinhoso. – Vem, Nina. Coma antes que o Builder acabe com tudo, depois eu explico!

Nina se sentou e devorou o que ainda restava de comida. Encheu tanto a barriga que passou a duvidar se conseguiria correr se fosse preciso. Depois daquele café, teria que confiar totalmente na calma e na experiência dos seus amigos. Notando o quanto a garota ficou estufada, todos relaxaram por um tempo após o café da manhã.

– O que você sabe sobre os creepers, Nina? – perguntou Jorge, dando tapinhas na própria barriga.

– Ah, eu sei que eles são bem feios, bem verdes e que eles explodem de vez em quando.

– Muito bem. E você sabe do que eles têm medo?

– Hmmm... de flechas? Espadas? Picaretas?

Jorge ouvia atentamente as ideias de Nina, ao mesmo tempo em que desenhava as sugestões da garota em uma folha de papel. Primeiro fez a flecha, depois uma grande espada e então uma picareta.

– E então, Nina, se você tivesse que dizer do que um creeper tem mais medo, o que você escolheria?

– Acho que da...

– Espere, ainda falta um item. – Jorge interrompe a garota. Builder e Authentic só acompanham a conversa dos dois.

– O que falta?

– Um gato – Jorge responde, completando o desenho. – E agora, o que você escolhe?

QUAL DESTES ITENS VOCÊ ACHA QUE O CREEPER TEM MAIS MEDO? SE VOCÊ LEU O LIVRO A BATALHA DA TORRE, JÁ SABE A RESPOSTA!

Tire uma foto da página e publique a sua escolha com a hashtag #ABatalhaContraHerobrine

– Os creepers têm medo de gatos – Authentic explicou.

– Gatos?

– Sim.

– Mas gatos são tão fofos! Quem poderia ter medo deles?

– Uns bichos estranhos como os creepers, ué. E olha só... – Jorge emendou.

Ele botou a mão na mochila e tirou um gato de lá de dentro. Era o mesmo gato que tinha salvado o lenhador e Builder na floresta um mês atrás. Após tudo aquilo, o bichano "adotou" Jorge como dono, passando a morar com ele em sua cabana.

– Você tinha um gato na mochila esse tempo todo?! Tadinho, Jorge! – gritou Nina, numa mistura de confusão, alegria e uma dose de pena.

– Ele está acostumado. O Quindim vive entrando na minha mochila quando eu vou dar uma volta na floresta ou saio para buscar recursos para a cabana. Ele se sente protegido, eu acho. Além disso, se você reparar, o tecido da minha mochila é todo furadinho para ele poder respirar.

– Adorei o nome dele! – disse Nina, acariciando o gato.

– Ele é o nosso meio de passar por todos os creepers, maninha – disse Authentic, com um sorrisão no rosto. Agora a garota tinha entendido por que todos estavam de ótimo humor naquela situação medonha do dia anterior. – Desde que a gente fique bem juntinho na hora de ir, vai ficar tudo bem!

Os amigos desfizeram o paredão improvisado enquanto Quindim ficava de guarda no corrimão da escada, mantendo os creepers afastados. Algumas das criaturas começaram a demonstrar seu incômodo com a presença do felino com grunhidos e resmungos, se movendo devagar.

Quando a passagem ficou livre, Jorge pegou Quindim e o ergueu com as duas mãos na frente do corpo, abrindo caminho. Todos se agruparam atrás de Jorge e o seguiram pela escadaria até a parte de fora da mansão. Authentic era o último da fila, protegendo o grupo caso algo desse errado. Do lado de fora, muitos creepers faziam guarda em torno da construção, mas, assim como os mobs que estavam dentro da casa, abriram espaço imediatamente ao avistarem o gato.

Passado o perigo, todos retomaram a trilha que os levaria até o porto. Quando chegaram à borda da floresta, Builder viu a muralha do porto e soltou um longo suspiro. Perto daquela construção enorme, a muralha levantada na Vila Farmer parecia uma cerquinha de madeira para manter bichos dentro de uma fazenda.

– Pessoal, contemplem o Porto das Lágrimas! – disse Jorge, acenando em direção ao muro.

– É gigantesco – disse Builder.

– Você precisa ver lá dentro – Authentic exclamou.

Quando chegaram bem perto do portão gigante, nem precisaram se apresentar. A verdade é que a fama de Authentic havia se espalhado por toda a região, sem falar que Jorge era muito conhecido dentro da Floresta das Agulhas. Assim que os viu, o vigia do local acenou do alto de uma torre e gritou algo para o lado de dentro, fazendo com que o portão começasse a subir na mesma hora.

Na parte de dentro do porto, os aventureiros puderam perceber que tudo ali era bem mais simples que a grande muralha. Havia uma dúzia de casas espalhadas pela faixa de terra que antecedia a areia, e elas formavam uma espécie de linha antes do grande porto de madeira se esticar para o mar, com diversas embarcações paradas nas docas. Muitas pessoas estavam na praia – bem mais do que cabia nas casinhas do lugar.

O porto acomodava vários tipos diferentes de barcos, desde pequenos botes a navios pesqueiros, passando por barcos, canoas, veleiros e até mesmo um estranho barco a vapor. O Porto das Lágrimas era, sem dúvida, um lugar popular – apesar do tamanho e do nome nada convidativo.

Mais duas construções ainda dividiam espaço com o porto, ambas feitas de madeira: um pequeno guichê bem no início da estrutura e um casebre mais à frente, que era um pouco maior que as casas existentes no local. Quando o grupo se aproximou, notou que o casebre era, na verdade, uma pequena lanchonete, chamada "O Guardião Caolho". A placa com o nome do lugar trazia o desenho de um guardião usando um tapa-olho e segurando um garfo e uma faca com as suas barbatanas.

O homem que estava no guichê pareceu despertar de uma soneca e logo se arrumou ao ver o grupo se aproximando.

– Fala, Jorge! – disse ao ver o amigo. – Nossa... não acredito! É o Authentic mesmo?

– É sim! – Jorge respondeu com um meio sorriso, enquanto Authentic acompanhava o gesto.

– O que trouxe você aqui? Mais um dia de pesca?

– Hoje não, Airton... mas estou procurando a Luci. Sabe se ela está no Caolho?

– Claro que sim, no mesmo canto de sempre. Aproveita que hoje ela está de bom humor...

– Obrigado, Airton! Manda um abraço para as crianças.

Jorge sinalizou para que os outros o seguissem e entrou na lanchonete.

O Guardião Caolho era um lugar bem bagunçado. Para onde quer que os amigos olhassem, havia uma mancha ou algo quebrado. Um atendente estava atrás do longo balcão, limpando um copo sem parecer prestar atenção aos clientes, que conversavam em mesas com suas comidas e bebidas, jogando cartas, dominó. Jorge tomou a dianteira mais uma vez.

– Vamos falar com a melhor capitã do porto agora, mas deixem a conversa comigo, ok? Ela é um pouco... nervosinha.

– Nervosinha é pouco – Authentic disse gargalhando. Aparentemente, o herói já a conhecia de outras missões. – É bom deixarmos essa batalha para o Jorge mesmo. Eu quero sair daqui inteiro – brincou.

Todos concordaram fazendo um sinal com a cabeça e seguiram Jorge até os fundos do lugar, onde pequenas mesas preenchiam o espaço das longas paredes do casebre. Em uma dessas mesas, estava sentada uma mulher bebendo água e lendo um jornal. Ao olhar para a capitã, Builder sentiu um frio na barriga. Ele olhou para Authentic, que parecia estar tranquilo com a situação.

– Luci! Como você está? – perguntou Jorge, todo amigável.

– Estava bem até você aparecer. Qual é a má notícia?

– Que isso, Luci! Como assim má notícia?

A capitã, uma moça bonita e bem jovem, colocou o jornal na mesa e olhou diretamente nos olhos de Jorge.

– Sempre que você aparece é sinal de problema, Jorge. Qual é o da vez? Desembucha.

– Bom, aparentemente o mundo da superfície está para acabar e, por isso, precisamos ir até o Nether. Mas não é nada que não possamos resolver.

Authentic deu uma risadinha com a resposta sarcástica de Jorge, chamando a atenção da capitã.

– E eu posso saber como quatro pessoas vão salvar o mundo inteiro? Mesmo com esse aí ajudando – disse apontando para o Authentic –, desconfio que vocês estão em desvantagem, não?

– Na verdade são três pessoas. O Jorge não vai com a gente – Authentic respondeu, em um tom corajoso para quem encarava uma mulher tão brava.

– Hmmm... melhor ainda, menos chances de sucesso!

– Nós damos conta! – Authentic respondeu confiante.

– Bom, se alguém pode dar conta, esse alguém é você! – Luci respondeu desfazendo a cara amarrada.

Ela se levantou, parou na frente do herói e esticou a mão para cumprimentá-lo. – É sempre bom revê-lo, Authentic. Então vocês querem três passagens no meu barco, certo? Mas para onde?

Jorge puxou o ar para falar algo, mas Luci esticou o dedo indicador na sua direção e fez uma mímica de fechar um zíper na própria boca.

– Que tal você me responder, rapaz? – perguntou apontando para Builder, enquanto encarava o aventureiro com um olhar desconfiado.

– Hmmm, para a Ilha da Transição? – ele respondeu sem muita confiança. Seu rosto estava vermelho novamente e sentia seu estômago embrulhado.

– É uma pergunta? – Luci perguntou, percebendo a insegurança do rapaz.

– Não... não. É para lá que nós vamos – disse tentando parecer mais confiante.

– Corajosos vocês, hein?!

– E seria bom se pudéssemos sair o quanto antes – Authentic respondeu tranquilamente, sem dar bola para a brincadeira da moça.

– Muito bem, senhores... Vou guiá-los nessa aventura, pelo menos em uma parte. Espero que tenham sucesso em seja lá o que forem fazer no Nether.

– Obrigado – Builder respondeu.

– Tenho três barcos. Todos são fortes e resistentes para enfrentar os perigos dessas águas – ela respondeu, direcionando os aventureiros para fora da lanchonete. – Com qual deles vocês querem ir? – perguntou apontando para três embarcações atracadas no porto.

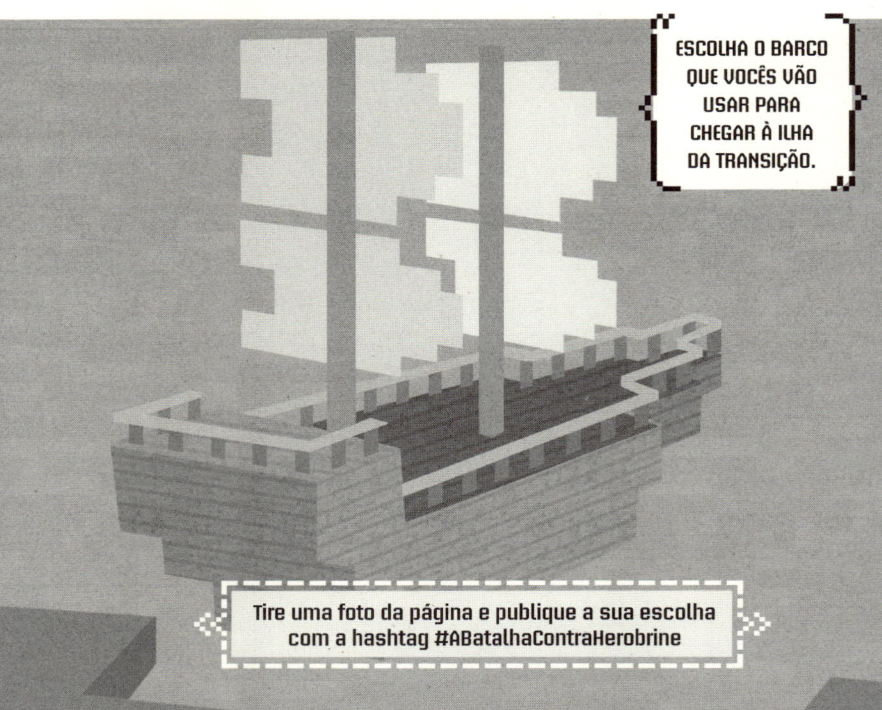

Depois de escolherem o barco, todos entraram no navio e se preparam para partir, mas não sem antes se despedirem de Jorge, que estava com Quindim aninhado nos braços.

– Boa sorte, garotos! Cuidem uns dos outros e nos salvem!

Builder fez um carinho na cabeça do felino e deu um abraço no amigo. Authentic e Nina repetiram o mesmo gesto e subiram na embarcação, dirigindo-se até a popa. Acenaram para Jorge e Quindim até que eles sumissem de vista.

O ATAQUE DOS GUARDIÕES

DEPOIS DE DOIS DIAS DE VIAGEM EM ALTO MAR, BUILDER começou a perceber que agia de modo estranho quando estava perto de Luci. Era um sentimento esquisito, que não permitia que ele falasse direito, o que sempre o deixava envergonhado. Seu rosto ficava vermelho feito um pimentão toda vez que conversava com ela. Ele estava se esforçando para parecer normal, mas sabia que não conseguiria disfarçar seus sentimentos por muito tempo. Até que, em uma tarde, a capitã passou por Builder e Authentic, dando um breve cumprimento:

– Vamos chegar à ilha logo, logo!

A reação começou a acontecer imediatamente no corpo de Builder. Rosto queimando! Estômago congelando! O aventureiro olhou para o chão, envergonhado. Quando levantou a cabeça, viu Authentic olhando em sua direção, com um sorriso sarcástico.

– Eu não culpo você nem um pouco, maninho. Ela é durona, mas tem muito charme!

– Do que você está falando, cara? – Builder respondeu em um tom agressivo, mesmo sem querer. – Nada a ver.

– Ei, ei! Calma lá, a culpa não é minha! – Authentic respondeu em meio a uma risada. – Está na sua cara, Builder!

– O que está na minha cara? – ele respondeu, passando a mão no rosto. – Não entendi!

O aventureiro realmente estava confuso: não era capaz de entender o que estava acontecendo. Para piorar, depois da sua última frase, Authentic começou a rolar no chão de tanto rir. Builder estava muito irritado, mas se controlou para tentar tirar uma resposta de Authentic quando ele se recuperasse... Só que demorou um bocado para Authentic parar de rir!

E então, quando o herói puxou o ar para falar, ele desatou a rir novamente. Builder esperou, torcendo para que as risadas não chamassem a atenção de Nina ou, pior ainda, da capitã.

– Ai, ai... Builder, meu velho, dá para ver que você está caidinho pela capitã! – disse Authentic, enxugando as lágrimas dos olhos, que rolaram de tanto ele rir.

– O... O QUÊ?! Você ficou maluco, Authentic?! Doidinho de pedra! Eu... eu não! Vixe! – falou Builder, o que fez o herói cair na gargalhada de novo. Furioso, Builder desceu do convés parecendo bastante confuso e envergonhado com a situação.

Alguns dias depois do ataque de riso de Authentic, Builder tinha que dar o braço a torcer pelo menos um pouquinho: algo muito estranho acontecia com ele sempre que Luci estava por perto. O aventureiro se flagrava pensando na capitã mesmo quando estava sozinho, chegando a fantasiar por horas sem notar a passagem do tempo. Será que realmente estava apaixonado? Lá no fundo, apesar da tremenda confusão na sua cabeça, um pedacinho de Builder torcia para que fosse isso mesmo...

– Todos para o convés! – gritou Luci do timão do navio.

Builder correu em disparada pelas escadas até chegar à superfície do navio, já esperando encrenca, mas encontrou um céu completamente azul e água calma para todos os lados até perder de vista. Nada de novo sob o sol do Oceano Cúbico. Logo em seguida, seus amigos subiram as mesmas escadas, tendo a mesma reação. Todos ficaram se olhando sem entender o porquê do alarme, quando a capitã começou a falar:

– Calma, pessoal. O perigo não é imediato, mas preciso de todos aqui em cima. Estamos chegando a uma parte complicada da viagem. Bem complicada!

– Como assim? Vai ter luta? – perguntou Nina.

– Espero que não, Nina... mas é possível. Estamos próximos do Mar dos Guardiões.

– Do quê? – Nina perguntou.

– Essa região é cheia de guardiões – Luci explicou. – Há muito tempo, uma grande ilha ficava nesse espaço, com uma civilização antiga. Os moradores construíram grandes templos que, depois de a ilha afundar, atraíram muitos desses mobs.

– Guardiões adoram esses templos, mas ninguém sabe o motivo real para eles ficarem perambulando nesses lugares... – comentou Authentic, que, mesmo especializado no assunto, não entendia totalmente o comportamento daquelas curiosas criaturas.

– O ponto é que eles são muito agressivos. Então, vamos correr certo risco – retomou Luci. – Preciso que vocês estejam preparados para lutar com arcos ou arpões daqui para frente.

– E por que não damos a volta? – perguntou Nina.

– Porque o Mar dos Guardiões é o único pedaço dessa parte do oceano que não é cheio de tempestades terríveis o tempo todo. Não temos muita opção.

– Poxa, Nina, já está com medo de partir para a batalha, é? – brincou Authentic, para descontrair o clima tenso.

– Ah, não é isso. Eu gosto de lutar. Mas dá um pouco de medo enfrentar centenas de mobs no meio do oceano, né? – ela respondeu.

– Sim, é claro. É por isso que o Builder tinha receio de que você viesse. Mas não se preocupe, somos uma grande equipe e vamos acabar com eles rapidinho!

Os amigos se prepararam para o pior enquanto a capitã se esforçava para manter o navio na rota. Após poucos minutos, Authentic começou a ver pequenas formas emergindo a distância. Conforme o navio avançava, mais formas apareciam e se tornavam mais definidas e nítidas: centenas de guardiões aguardavam pacientemente a chegada da embarcação. Aquilo não seria fácil.

QUANTOS GUARDIÕES VOCÊS PRECISARÃO ENFRENTAR! PREPARE A SUA ESPADA, MANINHO!

Authentic ficou muito confuso. Esperava que os mobs começassem a atacar o navio assim que ele estivesse próximo o suficiente, mas eles simplesmente observaram a embarcação passar. Com tantos guardiões ao redor, aquilo acabava sendo mais perturbador do que ter que lutar.

Tudo ocorreu bem até o navio chegar no meio da multidão de guardiões. Então, vários raios começaram a zunir pela cabeça dos tripulantes, acertando o casco e fazendo a embarcação chacoalhar.

– É uma armadilha! – gritou Builder, segurando-se nas laterais do barco.

– Devemos estar bem em cima do templo, eles são superprotetores! – Authentic gritou de volta, fazendo o possível para manter-se dentro da embarcação.

– BANZAAAAAAI! – gritou Nina, sacando flechas e começando a revidar. Ela exibia um sorriso um tanto quanto feliz demais para a situação.

O barco balançava muito por conta das manobras de Luci, que tentava diminuir os danos no casco o máximo possível. Os amigos atiravam flechas sem parar e quase foram atingidos diversas vezes. Authentic conseguia ver o limite do Mar dos Guardiões à frente, mas ainda faltava um bocado para conseguirem passar.

Foi aí que as coisas ficaram ainda piores. Uma das tempestades mencionadas pela capitã se formou em segundos e começou a despencar sobre eles, deixando o navio escorregadio. Para piorar, os ventos fortíssimos que acompanhavam a chuva dificultavam o uso das flechas. Mesmo com os problemas, todos continuaram lutando ferozmente.

Authentic, como sempre, estava acertando todas as suas flechas nos mobs e Builder já tinha acabado com mais de uma dúzia de guardiões quando um grito surgiu no meio da confusão: Nina tinha sido atingida em cheio na armadura e caiu do navio, mergulhando no mar. Todo o ar parecia ter saído dos pulmões de Builder, que queria gritar com toda a força do mundo. Da mesma forma, suas pernas congelaram no momento que ele mais queria se mexer. O mundo ficou em câmera lenta para o aventureiro.

Completamente congelado, ele acompanhou com os olhos a capitã amarrando o timão e pulando da borda do navio atrás de Nina. Luci agarrou a garota com um braço enquanto Authentic acertava com sua espada os guardiões que se aproximavam das duas em uma velocidade impressionante. Naquele momento, o corpo de Builder começou a reagir e ele saiu em disparada, jogando uma boia na direção das duas e segurando a corda enquanto Authentic lhe dava cobertura, acertando os mobs de um jeito tão eficiente que só o herói seria capaz.

Luci agarrou a boia e o herói continuou lutando contra os mobs, enquanto Builder puxava as duas em direção ao barco. A margem do Mar dos Guardiões estava muito próxima agora e parecia que o grupo iria se safar, até que um guardião ancião surgiu das profundezas da água, indo direto na direção da dupla. A capitã engoliu em seco e se preparou para o pior – aqueles mobs eram bem mais durões que os guardiões normais.

Builder jogou a corda da boia para Authentic, sacou a espada e pulou do navio, mirando no novo monstro que se aproximava de suas amigas. Com um giro, quase acertou o bicho em cheio, rasgando o seu dorso enquanto mergulhava. Rugindo, o guardião-ancião se virou, dando toda sua atenção para o aventureiro.

Nadar com a armadura era bem difícil, mas Builder tinha a motivação redobrada: nadava com velocidade e muita habilidade, evitando as investidas do monstro e o acertando com sua espada quando passava por ele. Alguns guardiões comuns tentavam se aproximar, mas eram eliminados por Authentic, que cobria a retaguarda do amigo e, como sempre, aniquilava os mobs com muita facilidade.

Um golpe do rabo do mob acertou Builder em cheio, jogando-o para o fundo do mar. Quando recuperou o controle, o aventureiro viu o guardião ancião nadando em sua direção a toda velocidade. Builder começou a nadar para a superfície o mais rápido que conseguia, em rota de colisão com o mob. Quando estavam bem próximos, ergueu a espada na sua frente, segurando-a com toda sua força.

Authentic aproveitou que os guardiões pareceram desistir do navio e puxou as garotas com a boia, ao mesmo tempo em que olhava para outro ponto do mar, preocupadíssimo com Builder, que havia afundado durante a luta. Quando ambas as garotas estavam salvas no barco, Authentic pulou no mar para procurar o amigo, enquanto Luci cuidava de Nina, que cuspia água salgada no convés.

Authentic nadava o mais rápido que podia, quando viu o guardião ancião subir à superfície, enchendo o herói de medo ao achar que seu amigo não tinha sobrevivido ao confronto. Então, ele tentou atacá-lo, mas percebeu que o monstro não se movia, estava apenas boiando. Depois de alguns segundos, Builder praticamente saltou da água, respirando intensamente. Com um grito de comemoração, Authentic abraçou o amigo e ajudou-o a nadar de volta para o barco.

– Você me deu um baita susto! – disse Authentic, dando um tapa nas costas de Builder. – E conseguiu se livrar de um guardião ancião sozinho. Isso é incrível!

– Ai, não bate muito forte – Builder disse, apoiando-se nos joelhos e tentando fazer a respiração voltar ao normal.

– Vocês nos salvaram, garotos. – Luci disse. – Nem sei como agradecer! Depois do que vi aqui, tenho certeza de que vão conseguir salvar o mundo da superfície – disse a capitã, dando um beijo na bochecha de cada um deles.

Então, toda a confusão de sentimentos de Builder voltou: frio na barriga, queimação no rosto... Ele estava completamente em choque. Do seu lado, Authentic usava todas as suas forças para não explodir em outra crise de riso ao olhar para a cara do amigo. Ainda assim, conseguiu manter-se quase sério ao dar novos tapinhas nas costas dele, dessa vez mais leves, e acompanhados de uma piscadinha.

– Prefiro ver você assim, vermelho, do que naquele tom azul que estava quando quase se afogou! – o herói brincou.

4 

QUE CILADA!

— SEI QUE PAREÇO SER BEM BRAVA NA MAIOR PARTE DO tempo, mas vou sentir falta de vocês, pessoal – disse Luci assim que todos estavam em terra firme na Ilha da Transição.

– Muito obrigado pela ajuda, Luci! Daqui para frente é com a gente! – respondeu Authentic com um sorriso.

– Muito obrigada por salvar minha pele, Luci! – gritou Nina, dando um abraço na capitã.

Todos se despediram, mas Builder continuou em silêncio. O aventureiro não queria dar chance para que mais uma avalanche de baboseiras saísse de sua boca. Após alguns passos, a capitã se virou para o grupo mais uma vez.

– Tenho negócios a tratar na região, então vou esperar

vocês voltarem antes de partir para o Porto das Lágrimas. A cada cinco dias, vou passar pela ilha. Assim, a carona de volta de vocês estará garantida!

O grupo acenou para o navio até ele fazer uma curva e partir. Então, eles caminharam até a única construção que se destacava na areia da ilha: o portal para o Nether.

– Olha ali na frente... – Builder foi o primeiro a falar.

Um arco de obsidianas colocava-se na frente deles, ao lado de uma pedra onde estavam desenhados vários símbolos esquisitos, formando uma frase em algum idioma desconhecido para Builder e Nina.

– O que será que está escrito aí? – perguntou Nina.

– É uma língua antiga, do mesmo povo que construiu os templos – respondeu Authentic.

– Aaaaah tá! Então deve ser bem velha. Você sabe ler isso, Authentic? – a garota perguntou.

– Sei, sim. Aqui diz "Abandonai toda esperança, vós que entrais". Não é muito animador.

– Vixe, pelo jeito que essa frase está escrita, é coisa de gente realmente muito velha. E isso aqui? – perguntou Nina, apontando para outra marca na rocha.

– Está escrito: "Brincadeirinha" – respondeu Authentic. – Hahaha, esses antigos tinham senso de humor!

O grupo se organizou para entrar no Nether, já separando diversas tochas, preparados para o pior. Deram uma última olhada para o sol e Authentic jogou um isqueiro no centro do arco, para ativar o portal.

AUTHENTIC ESTÁ PRONTO PARA ATIVAR O PORTAL. PREPARADO PARA ENTRAR NO NETHER?

Eles atravessaram a passagem e Nina deu um gemido assustado. O portal havia os levado para uma escadaria gigante, completamente mergulhada na escuridão. Nenhum deles conseguiu entender onde estavam.

A descida parecia não ter fim e as tochas dos aventureiros iluminavam apenas o que estava imediatamente à frente deles. Degrau após degrau, os três seguiam pelo caminho e não demorou para aquela jornada ficar muito chata. Apesar do tédio, os heróis passavam a maior parte do tempo calados, cientes dos perigos que os rodeavam. Até mesmo Nina, faladeira por natureza, não gostava do eco esquisito que sua voz fazia ali.

Builder perdeu a conta de quanto tempo eles estavam descendo. Minutos? Horas? Dias? Ele não sentia fome nem sono, mas tinha a sensação de que estava andando há muito mais tempo do que deveria. Ainda mais porque eles não haviam feito nenhuma pausa desde o início desse trecho da aventura. Até que, de repente, uma forte vertigem atingiu o aventureiro.

– Builder, você está bem? – Authentic perguntou.

Então, na mente de Builder a escuridão deu lugar à planície tenebrosa e cheia de lava do Nether, que ele costumava ver em seus sonhos. Uma legião de mobs o esperava, enquanto Herobrine estava sentado em uma pedra, segurando a espada de Authentic.

– Que bonitinho, eles realmente vieram buscar a espada do herói! – disse o vilão com sua voz horripilante.

– Essa espada não é sua. Entregue de uma vez e nos poupe o trabalho!

– *Em breve, Builder... muito em breve...*

Aos poucos o eco da voz diminuiu. Com um desagradável redemoinho, a visão de Builder voltou a focar na escadaria que parecia infinita. Authentic e Nina o encaravam, preocupados.

– Herobrine – disse Builder, com um tom pesado que misturava tensão e medo.

– Você viu o Herobrine agora? Acordado? – perguntou Authentic ao amigo.

– Sim. Ele está nos esperando desde que começamos a planejar a viagem com o Pequeno Conselho.

– Isso é ruim, maninho. Nunca pensei que ele pudesse aparecer como uma visão enquanto estivéssemos acordados.

– Ô, Herobriiiiiiineeeeeeee! – gritou Nina.

– O que é isso, garota? Ficou maluca? – reclamou Builder, quase arrancando o próprio rosto de tanto desespero.

– Dá pra parar de perturbar meu amigo, seu chatão? Se não parar, vou acabar com você!

– Aahhh... vai mesmo, garotinha? – a voz de Herobrine parecia vir de dentro das cabeças dos amigos.

– É... hmmm... vou sim, seu... cara de mamão! – Nina respondeu, mas sem gritar, visivelmente abalada.

– Vamos ver como vocês se saem com uma pequena mudança de perspectiva... – Herobrine sussurrou enquanto ria.

O chão se abriu.

Os heróis levaram alguns segundos para entender o que tinha ocorrido e, quando isso aconteceu, já estavam caindo. Os três começaram a gritar com o susto que levaram.

– Que-que-tá-acontecendoooooo?! – gritou Nina.

– Isso é impossível! – respondeu Authentic, tentando se controlar naquela situação incomum.

– Como é que a gente ainda não chegou ao chão? – perguntou Builder desesperado, mas sem esperar uma resposta.

O grupo continuou caindo no vazio por muito tempo até que a parede do buraco ficou mais próxima. Aos poucos, essa mesma parede começou a se inclinar e, de repente, os amigos se viram em um escorregador gigante.

– Hu-huuuuullll, isso dá muito medo! – gritou Nina, dividida entre o pavor e a adrenalina.

Quando chegaram ao fim do escorregador, acenderam novas tochas. Aquilo não se parecia com o Nether. Não era possível ver planícies, mobs e rios de lava. Será que a visão deles estava sendo manipulada por Herobrine? Tudo o que viam era um grande salão, cheio de gravuras talhadas nas paredes. As imagens representavam grandes lutas, lideradas pelo Ender Dragon. Já perto do fim das gravuras, havia detalhes dos planos dos monstros, já prevendo seu sucesso e a conquista de toda a dimensão do mundo da superfície.

– Parece que não tem saída desse lugar, galera – comentou Authentic. – Acho que caímos em uma armadilha criada por Herobrine! Ele não quer que cheguemos ao Nether.

– E agora, Authentic? Vamos ter que escalar aquilo tudo de volta? – perguntou Nina. – Não estou a fim.

O sussurro de Herobrine respondeu.

– Escolham, heróis...

Duas aberturas apareceram na parede do salão, posicionadas à frente do grupo.

– Um caminho leva a provações físicas; o outro, a armadilhas e perigos mentais. Ambos trarão vocês até mim. Escolham... – a voz sinistra ressoou no salão.

– Não vamos entrar no seu joguinho, Herobrine – respondeu Authentic, controlando a raiva e dominando a situação.

– Fique à vontade... O único jeito de sair é escolhendo...

Após essas palavras, o chão começou a tremer. Um desmoronamento aconteceu, fechando o tobogã de vez.

– E agora? – perguntou Nina.

– Agora acho melhor darmos uma descansada antes de qualquer coisa, maninha. Nesse tempo a gente pensa melhor em que caminho devemos seguir – respondeu Authentic.

– Mas eu não estou cansada!

– Nem eu, mas acho melhor. É bom estarmos com as forças recarregadas para enfrentar o que vier – respondeu Builder.

Ele tinha amadurecido muito desde a última missão, e, dessa vez, os problemas o encontrariam à sua altura.

Após acenderem uma fogueira, os amigos dormiram, revezando-se para manter a guarda. Quando acordaram, fizeram um café da manhã reforçado com os alimentos que tinham trazido nas mochilas.

Eles arrumaram suas coisas nas bolsas e se prepararam para enfrentar a maior aventura de suas vidas.

– E agora, maninhos? Qual caminho vamos pegar? – perguntou Authentic.

E AÍ, MANINHO? SE QUER IR PELO CAMINHO COM PERIGOS FÍSICOS, CONTINUE NA PÁGINA SEGUINTE. MAS, SE QUISER O PERIGO PSICOLÓGICO CAUSADO PELO HEROBRINE, VÁ PARA A PÁGINA 67.
Tire uma foto da página e publique a sua escolha com a hashtag #ABatalhaContraHerobrine

UMA LONGA QUEDA

— VAMOS PELA ESQUERDA — RESPONDEU BUILDER.

– Por que pela esquerda e não pela direita? – perguntou Nina.

– O ar parece melhor naquela direção.

– Siga sempre o seu nariz? – perguntou Authentic, feliz pelo amigo ter se lembrado de um conselho tão antigo.

– É isso aí. Isso já salvou a minha pele quando fui atrás de você, tenho certeza de que vai funcionar de novo – o aventureiro respondeu.

Os amigos estavam caminhando há alguns minutos e sentiam a energia renovada. A pausa que fizeram era necessária naquele lugar traiçoeiro. Recuperaram o bom humor e seguiram sabendo que podiam contar um com o outro.

Nina estava empolgada e correu, ultrapassando o grupo. Authentic tentou controlar a garota, alertando sobre os perigos que poderiam estar à frente. Ela não deu ouvidos e continuou. Sua alegria era como um farol na escuridão: ela estava sempre puxando conversa, distraída...

Tão distraída que um passo da garota afundou no chão, fazendo um "Click!".

– Armadilha!!!!! – Builder gritou.

Authentic se atirou na direção da amiga, bem a tempo de ver uma flecha passando onde Nina estava um segundo atrás.

– Isso não me parece um "perigo mental"! – Builder falou.

– Parece que escolhemos o caminho dos riscos físicos, pessoal! – disse Authentic. – Vamos ter que tomar muito cuidado daqui para frente. Você está bem, Nina?

– Humpf... estou! Mas sai de cima de mim, Authentic!

– Eita, desculpa! Até me esqueci disso com o susto... – respondeu, se levantando. – Eu vou na frente agora, certo, Nina?! – A garota apenas concordou com a cabeça.

O grupo voltou a seguir pelo caminho, andando devagar e testando o chão e as paredes. Passaram por outras placas escondidas, estacas que caíam do teto e até mesmo uma grande pedra redonda que rolou atrás deles por uma parte do caminho. Se não fosse Authentic craftar um buraco na parede para eles escaparem, eles estariam correndo dela até agora.

As armadilhas de Herobrine começaram a ficar mais complicadas. Flechas envenenadas quase pegaram o trio desprevenido, mas Authentic as cortou no ar com sua espada.

AS AMEAÇAS VINHAM DE TODOS OS LADOS. O QUE MAIS PODERIA ACONTECER?

Quando até mesmo as armadilhas mais poderosas foram destruídas pelo grupo, um novo tipo de desafio apareceu: as tochas dos aventureiros não iluminavam quase nada ao redor deles, como se a escuridão tivesse conseguido estragá-las. Seria impossível desviar das armadilhas agora.

– Trouxe esse monte de tochas na viagem, mas agora parece que não vai servir de nada! – disse Builder, chateado. – Elas estão iluminando menos que um pisca-pisca de Natal...

– Opa, opa! – Authentic exclamou, segurando Builder pelos braços. – Você disse "pisca-pisca"?

– Hmmm – o amigo deu de ombros, indiferente ao que tinha dito. – Sim, por quê?

– Maninho... acho que tive uma ideia! – respondeu Authentic. – Passe essas tochas para mim!

Builder entregou as tochas e Authentic tirou uma corda da mochila. Nina e Builder observaram o amigo amarrar as pontas das tochas com espaços entre elas, sem entender nada. Após alguns minutos, Authentic se levantou, triunfante.

– Prontinho!

– O que é isso, Authentic? – perguntou Nina.

– Isso, maninha, é o que vai nos fazer enxergar o caminho! – respondeu o herói com um sorriso de orelha a orelha.

Authentic começou a acender as tochas feliz da vida. Quando terminou, pegou a corda em uma das pontas e começou a girar sobre a cabeça, até lançá-la na escuridão. O caminho ficou iluminado em vários pontos, como se as tochas fossem luzes de Natal gigantes.

– Que baita ideia, Authentic! – exclamou Builder, dando um tapinha nas costas do amigo.

– Herobrine não está com nada, Authentic é o rei da parada! – disse Nina, dando pulos de alegria e fazendo rimas horríveis em uma musiquinha improvisada.

– Vamos, galerinha! Agora podemos passar bem mais tranquilos! – Authentic disse.

Herobrine deveria estar furioso. A última parte das suas armadilhas eram buracos enormes no chão da caverna, na tentativa de fazer os amigos se machucarem. Flechas ainda eram disparadas e estacas de pedra caíam do teto. Mas os amigos conseguiam facilmente contornar as armadilhas com as tochas de Authentic iluminando o caminho. Os amigos passaram tranquilamente, saltitando em torno dos buracos como uma partida de amarelinha, conversando e rindo pela maior parte do caminho, até que puderam ver a luz do fim do túnel à frente.

MENTE SÃ, CORPO SÃO

— VAMOS PELA DIREITA — RESPONDEU BUILDER.

– Por que pela direita e não pela esquerda? – perguntou Nina.

– Sei lá. É um palpite. Também tenho a impressão de que, no fim das contas, não faz muita diferença o caminho escolhido.

– O importante é chegar lá, recuperar minha espada e acabar com tudo isso, certo? – perguntou Authentic, com um sorriso no rosto.

– É claro! Não importa o que o maluco do Herobrine aprontar pra cima da gente, vamos conseguir! – o aventureiro respondeu, também sorrindo.

– Então, é isso aí! – disse Nina, quase saltitando enquanto seguia na direção da entrada na caverna. – Parem de enrolar!

Os amigos estavam caminhando há alguns minutos e podiam sentir a energia renovada. Apesar de não terem percebido todo o esforço que fizeram na jornada da ilha até aquele ponto, a pausa que tinham realizado era mais que necessária naquele lugar traiçoeiro. No mínimo, recuperaram o bom humor e seguiram felizes, sabendo que podiam contar um com o outro.

Seguiram tranquilamente por várias horas dentro do túnel, sem nada acontecer. Isso deveria ser bom, mas os aventureiros ficavam cada vez mais preocupados conforme o tempo passava sem nenhum perigo à vista. A tranquilidade em excesso era ameaçadora, ainda mais quando se tratava de Herobrine.

– Sei que deveria estar contente, mas toda essa paz não me cheira nada bem, maninhos... – disse Authentic baixinho, como se suas palavras pudessem fazer algo dar errado.

– Eu entendo – Builder respondeu. – Tá muito fácil, né?

Como se a caverna estivesse respondendo, um vento muito forte começou a soprar, apagando as tochas e deixando os amigos na escuridão. Em instantes, eles perceberam algo estranho apertando o corpo, deixando-os imóveis. O aperto não gerava dor, o que era inesperado... Mas além de impedi-los de se mover, esse efeito esquisito não os deixava verem ou falarem nada. Estavam completamente isolados no subsolo.

❑❒❑

Nina estava se concentrando muito para não entrar em pânico, pois tinha medo de lugares fechados e apertados. Para

piorar, não conseguia escutar nada, nem aquele ruído distante de ar se movendo pela caverna que havia se tornado a trilha sonora da jornada desde a escadaria há tantas... horas? Dias? Meses? – ela não sabia dizer. Sua mente corria a mil por hora, repassando tudo o que já tinha vivido e aprendido para tentar sair daquela enrascada, mas não conseguia pensar em nada que fosse útil naquele momento.

De repente, Nina estava de volta à Vila Farmer. Ficou tão desorientada pela mudança de cenário que levou algum tempo para absorver os detalhes ao seu redor: a vila estava em chamas. Gritos de moradores ecoavam de todas as direções e era possível escutar construções desmoronando com a força do fogo. Os animais fugindo desembestados pelas ruas, enquanto monstros de lava invadiam todos os lugares e aterrorizavam a todos que ainda não tinham conseguido fugir.

Desesperada, Nina começou a correr na direção da sua casa, sem parar para olhar para os lados. Não conseguiria pensar em ajudar alguém enquanto não soubesse como estava seu pai. Ao passar pelo centro da vila, o Prefeito, com parte da roupa queimada, estava nervoso. Ele a segurou pelos ombros:

– Por que, Nina? Por quê?

– Prefeito, me larga, por favor! Preciso encontrar meu pai!

– Vocês nos abandonaram! Veja o que os mobs fizeram!

– Não abandonamos, ainda estamos no caminho!

– É tarde demais, garota... – sussurrou o prefeito.

Sem entender direito o que estava acontecendo, ela desatou a correr novamente, virando as esquinas até chegar à padaria de seu pai. A construção estava coberta pelas chamas e, quando Nina se aproximou, as vidraças e a porta da padaria se estilhaçaram, e a força da explosão fez tudo desabar.

– PAAAAAAAAIIII! – ela gritou.

Nina caiu de joelhos na rua, incapaz de conseguir falar ou se mover, apenas chorando com muitos soluços e rezando para que seu pai tivesse escapado desse ataque horrível.

❑❒❑

Authentic encarava o Ender Dragon de igual para igual em um lugar escuro, cheio de pilares. Estava em pé, sentindo o bafo quente que saía das narinas do monstro.

– Isso é o melhor que a superfície pode oferecer como resistência à minha vontade? – rosnou o dragão.

– "Isso" é mais que o suficiente para encarar você, Ender Dragon! – respondeu o herói, sacando sua espada e entrando em posição de batalha.

Assim que Authentic ergueu sua espada, ela evaporou, junto com sua armadura e mochila. O herói estava totalmente desarmado. O dragão começou a rir e deu um passo na direção de Authentic, fazendo com que, pela primeira vez, o herói tivesse medo de não voltar em segurança para a Vila Farmer.

Sem o apoio de sua espada e ninguém à vista para ajudá-lo, Authentic se viu encurralado por Ender Dragon.

– E agora, o que eu faço?

– Humano patético! Vou esmagar você e, na sequência, destruir aquele lugar ridículo que vocês chamam de vila!

Authentic começou a correr, procurando algo para utilizar como arma contra o monstro. O Ender Dragon o acompanhava, se divertindo com o desespero do herói. Ergueu bem a cabeça e soltou um jato de fogo.

O aventureiro se jogou para o lado, e conseguiu desviar do fogo. Porém, com o tombo, ele machucou sua perna esquerda em uma pedra afiada. A dor era tanta que a perna se recusava a sustentar o corpo. Mancando, Authentic ergueu os punhos em desafio e sorriu ironicamente.

– Vai ser no mano a mano então. Pode vir, bicho feio!

O Ender Dragon deu uma patada em Authentic, que o jogou para o outro lado do pequeno espaço de terra em que se encontravam. Tossindo, o herói tentou se erguer.

– Cof... cof... você pode até acabar comigo, mas meus amigos não vão deixar que você destrua o mundo da superfície!

– Você fala desses dois fracotes? – rosnou o Ender Dragon, apontando para o horizonte. Duas esferas flutuantes envolviam Builder e Nina amarrados. Nenhum dos dois conseguiria lutar daquele jeito.

– Builder! Nina! Nããããooo! – gritou Authentic. – Você vai pagar por isso, dragão!

– Duvido muito, garoto! – respondeu o monstro com divertimento enquanto encurralava o herói contra uma parede.

Authentic não via saída daquela situação. Tudo estava acabado dessa vez.

❑❒❑

– Se divertindo? – sussurrou Herobrine para Builder.

Builder assistiu aos pesadelos dos amigos sem poder fazer nada. Aquilo era muito cruel, por forçar os aventureiros a acreditarem que tinham perdido tudo e falhado com todos que amavam. Era a vitória perfeita para Herobrine, sem nem ter que lutar diretamente contra o trio.

– Você é realmente um monstro, Herobrine – retrucou Builder no mesmo momento.

– Game over, rapaz. Vocês perderam. Eles vão reviver esse pesadelo para sempre, e você ficará assistindo a tudo de camarote enquanto eles enlouquecem lentamente...

Builder começou a sentir a raiva queimando em seu peito, passando para seus membros completamente imóveis. Pensou em ganhar tempo enrolando Herobrine, mas não via saída daquela escuridão.

– Quando eu sair daqui, vou acabar com você.

– Hahaha! Acho que não, herói. Talvez eu mande mobs de verdade atacarem seus amigos enquanto você assiste a tudo sem poder fazer nada, que tal? Quem sabe assim essa sua esperança de me derrotar não acaba de vez?

Dois focos de luz surgiram sobre Authentic e Nina, quebrando a escuridão do túnel. Builder viu dois Wither Jockey se materializando na frente de cada um deles, segurando a espada de pedra de forma ameaçadora. A raiva atingiu um ponto explosivo, parecendo um vulcão dentro dele.

– Não! Pare! Seu malvado...

– Hahaha... olhe bem, Builder... isso vai ser divertido.

De repente, algo diferente aconteceu no interior de Builder. A raiva que ele sentia queimar todo seu corpo por dentro se focou em um único ponto e se transformou, como se uma luz estivesse acesa dentro de si. O sentimento foi mudando para determinação e uma onda de razão se abateu sobre ele.

– Saquei o seu joguinho, Herobrine. Game over pra você.

– É impossível sair daqui, rapaz. Desista.

– Saia agora mesmo da minha cabeça! – disse Builder, se concentrando com todo o seu esforço.

Builder sentiu o aperto da escuridão se afrouxar e usou seus braços e pernas para se libertar de vez. Sacou sua espada e despachou o primeiro Wither Jockey antes que ele pudesse perceber o que estava acontecendo. O segundo acompanhou o destino do primeiro com tempo apenas de emitir um grunhido antes de sumir.

O aventureiro rasgou a escuridão sólida que envolvia os amigos, os trazendo de volta para a realidade.

– Acordem, gente. Chega de pesadelos por hoje!

Eles estavam meio desnorteados e assustados, como se não acreditassem que tinham conseguido escapar de tanto sofrimento. Builder fez sinal para que o seguissem até o fim do túnel, que agora era visível a uma curta distância. Conforme andava, gritou bem alto, mandando uma mensagem para o vilão:

– Ofereço mais uma vez a chance de desistir, Herobrine. Não vamos ter dó quando encontrarmos você.

– É o que veremos, aventureiro... – respondeu a voz, ecoando e sumindo...

Os amigos seguiram para a luz no fim do túnel na sua frente. Estavam muito abalados... mas inteiros.

ENTROU NA CHUVA É PARA SE MOLHAR

NO FIM DAS CONTAS, A LUZ NO FIM DO TÚNEL NÃO ERA algo tão bom assim. Estavam em Nether, na planície que Builder conhecia dos sonhos com Herobrine, com um monte de mobs abaixo e inimigos a perder de vista. Eles se olharam, avaliando suas chances de encarar tudo aquilo.

– A coisa está feia para o nosso lado – comentou Builder, que não gostava de pessimismo em momentos assim.

Authentic olhou para os arredores por um bom tempo, tentando pensar no que fazer. Ele já havia estado ali em outras ocasiões, por isso sabia que o Nether era um lugar estranho, com cavernas menores e túneis para todos os lados, enquanto suas planícies eram separadas por grandes rios e lagos de lava.

Então, Authentic falou para seus amigos:

– Vamos conseguir, maninhos. Estão vendo aquelas cavernas láááá na frente?

– As do canto? – perguntou Nina, apontando.

– Exatamente. Pelo que dá para sacar, elas dão a volta na planície dos mobs, podemos ir por ali.

– Boa! Mas como vamos atravessar a lava para chegar lá? – respondeu Builder.

– Esse chão é de rocha sólida. Vocês trouxeram picaretas, né? – perguntou Authentic.

Os dois amigos concordaram com a cabeça e já foram pegando as picaretas das mochilas.

– Ótimo. Acho que conseguimos montar um barquinho de pedra. Vai ser bem quente, mas não vai derreter até atravessarmos e chegarmos em segurança. Vamos colocar a mão na massa, pessoal! – Authentic falou.

Os aventureiros começaram a cavar com entusiasmo, criando um belo buraco na planície. Builder fez questão de coletar os blocos de pedra no lugar que Herobrine aparecia em suas visões, como uma espécie de recado pessoal para o vilão. Em algumas horas, os três tinham craftado uma bela canoa de pedra – inútil no mar, onde afundariam, mas perfeita para atravessar a lava do Nether, que era bem mais densa e mais perigosa.

A travessia foi fácil e relativamente sossegada: um empurrão bem forte e a canoa flutuou tranquilamente até a outra margem do rio de lava. O calor que vinha de fora da embarcação fazia o trio suar muito, mas o que importa é que eles estavam em segurança.

O grupo precisou ser discreto ao chegar do outro lado, pois estavam bem mais próximos dos mobs. Andaram sorrateiramente até as entradas das cavernas e começaram a se mover em silêncio e no escuro – era muito arriscado acender uma tocha ali.

Os aventureiros saíram logo atrás do batalhão de mobs, notando um corredor natural na rocha que os levaria ainda mais fundo para dentro do Nether. Eles estavam quase lá quando a voz de Herobrine retornou muito alta, preenchendo todo o ar ao redor:

– Atenção, mobs! – os monstros se alinharam na mesma hora, como se estivessem em uma posição de exército. – Um trio de aventureiros da superfície está tentando chegar até mim... E eu não quero que eles cheguem. Acabem com eles agora mesmo!

Milhares de esqueletos wither, blazes, zombies pigman e ghasts giraram ao mesmo tempo, ficando de frente para os três amigos.

Por mais que eles tivessem muita fibra e confiança em suas habilidades, era impossível encarar aquele exército. Então, começaram a correr para a abertura, com os monstros na cola deles.

– Não olhem pra trás, pessoal! Estamos quase lá! – disse Authentic, que fazia questão de ficar alguns passos para trás dos amigos, pronto para acertar qualquer monstro que fosse mais rápido e ameaçasse a retaguarda do grupo.

– Ai, que saudade do Grogg! – exclamou Nina enquanto pulava uma pedra alta.

– Vamos conseguir chegar até a abertura antes que eles nos cerquem! – gritou Builder. – Só mantenham a velocidade, vamos!

Os heróis começaram a descer uma colina muito alta, que apresentava uma prévia do que estava por vir: o caminho terminava em um labirinto enorme, que se estendia até se perder de vista no horizonte. Builder ficava se perguntando se algum dia viveria uma aventura mais simples, só para variar um pouco.

– Apesar de atrasar a gente, esse labirinto vai nos ajudar! Os mobs vão ter que se espremer e vão correr com mais dificuldade! – gritou Authentic! – Assim, pelo menos, não precisaremos nos preocupar com o risco de sermos cercados por eles!

– Puff... puff... estou ficando cansada! – disse Nina, ofegante. – Bem... puff... cansada!

– Qual entrada para o labirinto vamos pegar? – perguntou Builder, sem diminuir o ritmo.

– Não sei, maninho... Será que deveríamos nos separar?

– Puff... Puff! Não gosto muito dessa ideia, gente! Não quero ficar sozinha com um monte de mobs loucos atrás de mim – Nina disse.

– Pode ser uma boa ideia... talvez tenhamos mais chances. E temos as picaretas para perfurar as paredes do labirinto, qualquer coisa – disse Builder.

– Ainda não gosto da ideia! Podemos nos perder um dos outros e ficarmos presos para sempre! – ponderou Nina.

– E então, maninhos, o que decidiram? Os mobs estão chegando! – apressou Authentic.

Os amigos se aproximaram dos limites do labirinto, com os mobs logo atrás. Essa não era a melhor forma de tomar uma decisão, mas era o que eles podiam e deviam fazer com uma ameaça tão grande e tão próxima.

Era a hora de decidir.

Eles ficaram um ao lado do outro, analisando as entradas, tentando prever todos os desafios que elas pudessem trazer.

VOCÊ PREFERE QUE O GRUPO SE SEPARE? ENTÃO, CONTINUE NO CAPÍTULO 7A, NA PÁGINA SEGUINTE! MAS, SE VOCÊ ACHA QUE O GRUPO DEVE PERMANECER UNIDO, VÁ PARA O CAPÍTULO 7B, NA PÁGINA 87.
Tire uma foto da página e publique a sua escolha com a hashtag #ABatalhaContraHerobrine

7A

COMPLETA SOLIDÃO

— VAMOS NOS SEPARAR! CADA UM ESCOLHE UMA ENTRADA! – gritou Builder.

– Uni-duni-tê... Ah, tanto faz! – disse Nina, escolhendo uma entrada à esquerda.

– Vamos, galeeeera! – gritou Authentic, entrando no labirinto pela direita.

Builder seguiu em frente e pegou a entrada do meio sem diminuir o passo. Começou a escolher o caminho aleatoriamente, pensando apenas em dar o máximo de distância entre ele e os mobs.

Muitas curvas depois, olhou para os lados e para trás e viu que ninguém o seguia ou o acompanhava. Ele estava comple-

tamente sozinho, sendo que sua única companhia era um silêncio absoluto, que preenchia o lugar. Nenhum ruído, nenhum som de zombie pigman ou ghast, nem sequer o som sinistro de ossos de esqueleto batendo uns nos outros.

Começou a andar mais devagar, prestando atenção nos arredores e fazendo escolhas mais conscientes de caminho, já com a picareta em mãos. Acabou em becos sem saída três vezes antes de resolver usar a ferramenta para quebrar o obstáculo. Queria gritar para ver se encontrava seus amigos, mas achou melhor não fazer. Ele se lembrava de que gritar era a pior coisa que se poderia fazer em um lugar como aquele. Afinal, ele não queria atrair monstros e complicar ainda mais as coisas.

O aventureiro sentia-se completamente sozinho e já começava a perder a esperança de conseguir encontrar um caminho para sair daquele lugar. Horas se passaram nessa situação e Builder começou a descontar sua frustração nas paredes dos becos que encontrava, derrubando-as com sua picareta. Estava preocupado com seus amigos, que não tinha como procurar naquele momento, além de estar por sua própria conta, sem saber o que o esperava em cada curva do labirinto. Para piorar, ele podia jurar que os corredores mudavam de direção e fechavam caminhos que ele já tinha passado, o que o deixava desconfiado. Precisava sair rápido daquele lugar.

Durante todo o tempo que passou no labirinto, Builder viu apenas uma coguvaca perdida, parecendo tão solitária quanto ele. Estava tão desesperado para ter contato com outra criatura que tentou puxar papo com o animal, se sentindo bem bobo logo em seguida. Considerou que se não tivesse uma picareta para abrir atalhos no labirinto, ficaria dias tentando encontrar o caminho. Talvez meses, anos... Talvez para sempre.

Torceu para que seus amigos tivessem a mesma ideia e estivessem acompanhando seu ritmo, cavando buracos nos caminhos. Builder chegou ao que parecia ser o centro do labirinto, que consistia em um grande espaço com uma majestosa fonte no meio.

Ao se aproximar, viu três portas quase que imperceptíveis em meio às pedras. Deu mais alguns passos e percebeu que elas tinham algo escrito acima delas.

A PORTA COM 4 TRIÂNGULOS VAI TE DEIXAR ENTRAR
E AS OUTRAS 2 NÃO TE LEVAM A LUGAR ALGUM.

– Não estou com paciência pra charadas. E tenho certeza de que é uma armadilha de qualquer forma. Mas vamos lá... – resmungou Builder, esfregando as mãos.

Builder andava de um lado para o outro tentando se concentrar para resolver o enigma de Herobrine. *Vamos, pense, Builder. Pense... Nina e Authentic vão ficar decepcionados se eu não encontrar a solução disso,* o aventureiro conversava com os próprios pensamentos.

Builder encarava as portas ao mesmo tempo em que seus pés esfregavam o chão do labirinto. *Nenhuma delas tem triângulos, apenas quadrados e círculos. Onde está a lógica disso?,* pensou. Então, entre uma mexida e outra de pé, ele percebeu que havia chutado uma coisa que estava sobre a terra.

– Um giz? O que um giz faz aqui? – ele se perguntou.

O aventureiro abaixou, pegou o giz com as mãos e ficou brincando com o objeto entre os dedos. Pensou durante mais algum tempo até que desistiu.

– Porcaria de labirinto desonesto! – disse ele, jogando o giz no chão com força.

O giz rachou ao meio, virando dois pedaços, e Builder de repente percebeu que ele tinha, sim, uma saída para aquele desafio.

– Ah, Herobrine. Acho que saquei qual é a sua jogada. Pode me esperar que eu estou chegando – Builder gritou para o vazio.

NÃO VIRE A PÁGINA AINDA!

QUAL PORTA BUILDER DEVERÁ ATRAVESSAR? PEGUE UM LÁPIS E CIRCULE A SUA ESCOLHA OU VIRE A PÁGINA E VEJA A RESPOSTA.

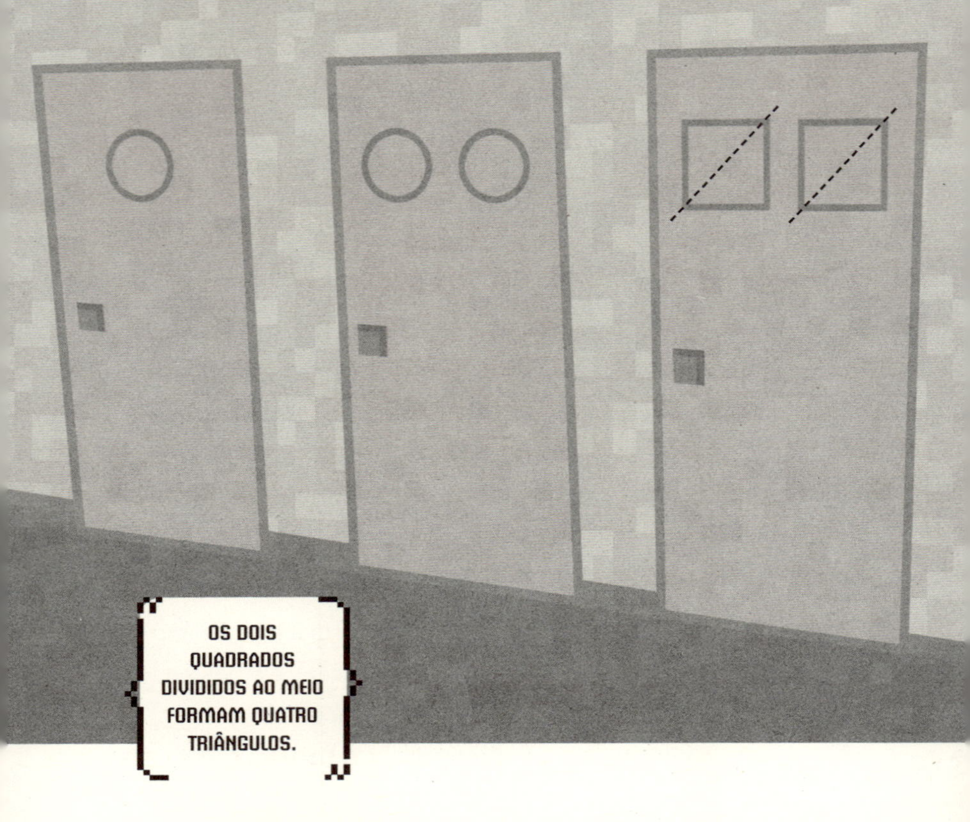

– Rá! – Builder exclamou, feliz, após mais um enigma resolvido naquela jornada.

Até que não foi tão difícil! Lá vou eu participar de mais um joguinho do Herobrine, pensou, cansado de se sentir uma marionete nas mãos do vilão, mas feliz por ter conseguido desvendar o enigma.

7B

UM POR TODOS, TODOS POR UM

AUTHENTIC SEGUIU EM FRENTE SEM DIMINUIR O PASSO, com os amigos no seu encalço.

– Todos juntos, por aqui!

O grande herói da Vila Farmer liderava o grupo dentro do labirinto, apontando o caminho entre o emaranhado de paredes de pedra. No começo, todos corriam o mais rápido possível, sem pensar muito na direção que iam. Queriam apenas abrir o máximo de distância entre eles e os mobs.

Pouco a pouco, se deram conta de que ninguém mais os perseguia e perceberam o silêncio absoluto do lugar. Nenhum ruído, nenhum som de zombie pigman ou ghast, nem sequer o som sinistro de ossos de esqueleto batendo uns nos outros.

– Que esquisito... por que eles não nos seguiram? – perguntou Builder.

– Talvez o labirinto não tenha saída e eles ficaram esperando a gente voltar – respondeu Nina.

– Ou talvez eles estejam preparando alguma armadilha para a gente – disse Authentic.

Depois de alguns becos sem saída, decidiram cortar caminho com suas picaretas, simplesmente destruindo as barreiras que apareciam. Apesar da economia de tempo, seguiram no labirinto pelo que pareceram dias sem fazerem qualquer pausa. Andar, escolher caminhos, quebrar, andar mais um pouco... Tudo se repetia em um ciclo sem fim.

– Acho melhor pararmos um pouco, pessoal – disse Authentic, tendo que admitir o cansaço que sentia.

– Até que enfim, porque eu estou com fome! – disse Nina.

– É mesmo? – Builder perguntou, curioso.

– Na verdade, não... mas deveria, né? Ainda mais você, Builder! Normalmente você é o Senhor Ronco de Barriga!

– Pois é... mas não tive fome nem sono desde que deixamos a Ilha da Transição... Esquisito.

– É o efeito do Nether, maninhos – respondeu Authentic, olhando os arredores do labirinto. – Aqui tudo é estranho e confuso. Não sei se ainda precisamos de descanso ou comida enquanto estivermos aqui, mas, mesmo assim, acho que deveríamos parar.

Os aventureiros pararam para descansar no primeiro beco que encontraram, pois seria mais fácil manter a guarda em um só lado. Acenderam uma fogueira e comeram, para depois descansarem em turnos, sempre com um deles de vigia para o caso dos mobs mudarem de ideia e invadirem o labirinto.

Algum tempo depois, juntaram suas coisas e seguiram viagem, abrindo buracos nas paredes do local. Depois de mais uma longa caminhada por curvas e fendas, o grupo chegou ao que parecia ser o centro do labirinto, que consistia em um grande espaço com uma majestosa fonte no meio.

Ao se aproximar, viram três portas quase que imperceptíveis em meio às pedras. Deram mais alguns passos e perceberam que elas tinham algo escrito acima delas:

A PORTA COM 4 TRIÂNGULOS VAI TE DEIXAR ENTRAR
E AS OUTRAS 2 NÃO TE LEVAM A LUGAR ALGUM.

Todos ficaram em silêncio, apenas encarando as portas, pensando nas instruções do enigma durante algum tempo. Nenhum deles parecia estar perto de solucioná-lo, nem mesmo Authentic, que sempre foi fera em decifrar códigos e resolver desafios. Herobrine havia caprichado no problema.

– Não entendi direito – disse Nina, coçando o queixo. – Minha cabeça já está dando nó. Deve estar saindo fumaça até – completou apontando para a própria cabeça.

– Essa é difícil mesmo... – comentou Authentic, imitando o gesto da amiga. – Mas com certeza tem uma saída.

– Será mesmo, Authentic? Talvez não exista uma porta certa. Talvez esse seja o fim da linha – Builder respondeu, sem esperança de encontrar uma lógica para o enigma. – Esses joguinhos do Herobrine são cheios de pegadinhas desonestas.

– Calma, maninho. Não se desespere. Deve ter uma saída, sim. A gente só precisa colocar a cabeça para funcionar.

– Odeio dizer isso, mas acho que dessa vez a gente deveria se dividir, meninos – falou Nina. – Cada um escolhe uma porta e, se for a errada, voltamos aqui para o meio. Quando dois voltarem, vamos saber que o terceiro escolheu a porta certa e seguimos. Que tal?

– Isso pode ser perigoso, Nina. E se o caminho errado tiver muitos mobs? Seria arriscado alguém enfrentá-los sozinho – comentou Authentic, preocupado principalmente com a segurança da garota.

– É Nina. E se um de nós se perder para sempre? – Builder perguntou, preocupado.

– Alguém tem uma ideia melhor? – Nina parecia irritada com o fato dos colegas terem discordado de sua ideia.

– Tenho, sim. Solucionarmos o desafio – Authentic respondeu, desviando o olhar da garota e voltando a encarar as portas. Ele se aproximou e começou a falar em voz alta: – Não há triângulos nas portas, apenas círculos e quadrados...

Authentic se aproximou ainda mais das portas, tentando procurar alguma pista escondida na madeira, nas maçanetas, nos batentes... Nada ali parecia ajudá-lo. Então, ele começou a encarar toda a área, analisando as paredes e o chão. Foi quando viu alguma coisa no canto da primeira porta. Ele se aproximou para ver o que era e pegou o objeto nas mãos. Era um giz branco, que parecia não pertencer àquele lugar.

– Nossa, que estranho. Por que será que isso está aqui? – Authentic perguntou.

– Não faço ideia... Pessoal, não quero ser chata, mas acho que estamos perdendo tempo. Vamos arriscar e nos dividir – Nina falou.

Authentic brincava com o giz nas mãos e sem querer partiu o objeto ao meio.

– Dividir? É isso mesmo, Nina!!! Você me deu uma grande ideia.

Nina e Builder olharam para Authentic e foram para a frente das portas: eles sabiam que o herói havia solucionado o enigma.

NÃO VIRE A PÁGINA AINDA!

QUAL PORTA OS HERÓIS DEVERÃO ATRAVESSAR? PEGUE UM LÁPIS E CIRCULE A SUA ESCOLHA OU VIRE A PÁGINA E VEJA A RESPOSTA!

– Ah! – Builder exclamou, vendo Authentic resolvendo aquele difícil enigma.

– Tudo é uma questão de perspectiva, maninhos! – disse Authentic. – O negócio é não nos desesperarmos e sempre procurarmos por uma solução com calma!

Eles comemoraram juntos por um instante e seguiram em direção à porta dos quatro triângulos.

Mas, como tudo era esquisito no Nether, a comemoração durou pouco. Enquanto eles tentavam abrir a porta, dezenas de mobs avançaram sobre o trio de aventureiros.

– De onde eles surgiram? – Nina perguntou, totalmente surpresa com a cena.

– Nem eu sei responder essa pergunta! – Authentic falou logo em seguida. – Mas o Nether é esquisito, vai ver eles estavam nos seguindo – completou.

– Só nos resta lutar! – Builder exclamou.

Authentic saiu à frente, pois sabia que era sua responsabilidade encarar os mobs e manter os amigos sãos e salvos. Ele tinha muito mais experiência em aniquilar os seres do Nether, pois já tinha estado lá outras vezes. A cada ghast, esqueleto ou blaze que cruzava o seu caminho, ele atacava com facilidade, mas sentia muita falta de sua poderosa espada de diamante. Era muito diferente lutar com ela. Essa nova espada que o ferreiro fez também era boa, mas nada se comparava à espada favorita do herói.

Nina, que não perdia a chance de treinar suas habilidades de combate, também aproveitou para acabar com a maior quantidade de mobs possível. Apesar do Nether deixá-la um pouco menos corajosa, ela adorava mostrar para seus amigos que era uma boa aventureira e que estava pronta para enfrentar qualquer desafio.

Builder, porém, não sacou sua espada naquele momento. Ao olhar para a porta dos triângulos, sentiu uma vontade de se vingar de Herobrine por tudo que ele havia feito naquele último mês. A briga entre eles era pessoal, por isso ele aproveitou a distração dos amigos e passou sozinho pela porta, tentando não chamar a atenção dos outros dois. O momento de acertar as contas com o vilão havia chegado.

O PALÁCIO DAS ILUSÕES

DEPOIS DE PASSAR PELA PORTA, BUILDER SE VIU EM UM grande corredor bonito e decorado, com lustres no teto e uma leve música tocando ao fundo. O luxo do novo lugar era completamente diferente do restante do Nether, geralmente um lugar assustador e horripilante. Conforme o aventureiro passava por salas e corredores, encontrava móveis chiques e pinturas incríveis penduradas na parede; era um verdadeiro palácio no meio do nada. Estava claro que aquilo era outra criação esquisita de Herobrine, assim como a escadaria mergulhada na escuridão que eles haviam entrado logo depois de passarem pelo portal. Tudo aquilo era muito estranho, e Builder sabia que algo muito perigoso estava se aproximando.

O aventureiro foi seguindo a música, que ficava mais alta conforme ele avançava. O cenário estava muito assustador, apesar de ser um lugar bonito. Depois de algum tempo, conseguiu ouvir alguém, que estava cantarolando a tal música que preenchia o ar.

Algumas salas depois, ficou claro quem era essa pessoa que cantava: Herobrine. Builder apertou o passo, mas sem deixar a cautela de lado e encontrou o que tanto procurava, desde o começo dessa aventura. Herobrine? Na verdade, não. A espada de Authentic, que estava na mão do vilão.

– Procurando por isso, aventureiro? – disse Herobrine.

– De certa forma, sim – Builder disse. – Você quer me devolver a espada do jeito fácil ou do jeito difícil, Herobrine?

– Hahahaha! Preciso admitir, garoto... você é divertido!

Com sua última fala, Herobrine pulou para cima de Builder, com a espada de Authentic erguida. Felizmente, o aventureiro já esperava por isso e aparou o golpe com sua própria espada. Os dois começaram uma luta feroz, trocando golpes, socos e chutes pelo salão.

Builder lutava com tudo que tinha contra o vilão, que era rápido e muito inteligente. Ele parecia prever os golpes do aventureiro e revidava com uma força incrível, como se não estivesse se cansando com aquele luta.

Conforme a briga continuava, Builder notou que o palácio "vibrava" toda vez que conseguia atingir Herobrine. Era como se ele precisasse se concentrar para manter todo aquele lugar existindo. Builder decidiu tirar proveito daquilo:

– Bela casa que você tem aqui. Hunf! Bem humilde, lugar de gente simples...

– Que bom que gostou! Posso deixar você preso aqui agora mesmo! – respondeu Herobrine, com uma sequência de golpes, todos aparados por Builder, que emendou um contra-ataque preciso: um belo chute no estômago do vilão.

O palácio desapareceu de um segundo para outro, mostrando onde eles realmente estavam: um espaço circular de terra bem no meio do Nether, próximos a um imenso desfiladeiro. O aventureiro estava perigosamente perto da borda.

Dando alguns passos para a frente, Builder procurou por Herobrine, que não estava à vista em lugar algum, tendo desaparecido junto com o seu palácio de ilusões.

– Procurando alguém, rapaz? – sussurrou Herobrine diretamente na cabeça de Builder, que caiu para trás com um soco vindo do nada. O golpe surpresa o jogou no chão. *Ainda bem que tinha dado alguns passos para frente,* o aventureiro pensou aliviado e já se levantando.

– Pare de ser covarde e apareça de uma vez! – retrucou Builder, irritado.

O vilão, confiante com sua invisibilidade, teve um momento de vacilo quando deu sua característica risadinha ao se aproximar do herói caído. Aproveitando a oportunidade e percebendo de onde o som vinha, Builder derrubou o oponente com uma bela rasteira, tornando o inimigo visível mais uma vez. O aventureiro tentou um golpe com sua espada, mas o vilão conseguiu escapar no último instante, girando para o lado.

A luta continuou por longos minutos, deixando Builder exausto – nunca tinha lutado por tanto tempo e de forma tão intensa com um único adversário. Então, foi a vez de ele vacilar ao deixar a guarda aberta por um momento, levando um pontapé fortíssimo que o fez rolar até a borda do precipício. No momento do golpe, Builder soltou sua espada, que caiu para fora do alcance de suas mãos.

Herobrine caminhou lentamente na direção de Builder, com a espada de Authentic apontada na altura do peito do aventureiro. Desarmado, Builder descobriu que tinha mais uma chance e resolveu agarrá-la:

– Você é covarde demais para ganhar de todos nós, cara.

– Como é que é? – respondeu Herobrine, parando onde estava, impressionado com a confiança de Builder. – Você está sozinho, caído no chão e desarmado, garoto!

Builder deu um sorriso. Tinha conseguido deixar Herobrine nervoso de alguma forma. Então, ele apontou para trás, onde o malvado conseguiu ver que Nina e Authentic tinham conseguido alcançá-lo.

Builder conseguiu escapar do vilão, que estava completamente espantado em ver a dupla ali.

– Desista, Herobrine. Você não vai vencer nós três. Nós temos algo que você nunca terá: fibra. – Authentic disse.

– Como você ousa questionar minha fibra, heroizinho? – Herobrine estava muito nervoso. Um dos cantos de sua boca tremia. – Aqui, no meu mundo, eu construo fibra! Eu orquestrei todo esse plano, eu derroto qualquer um em combate... e sou eu que vou acabar com vocês!

Herobrine correu na direção de Builder, que estava mais próximo ao precipício. Nina e Authentic se aproximaram, para ajudar o amigo. Quando o vilão pulou em cima de Builder, descontrolado pela raiva e querendo derrotá-lo de qualquer jeito, Authentic o acertou com uma flecha. O golpe o deixou meio tonto e, quando ele tentou se aproximar do herói para brigar, Nina deu uma rasteira nele, derrubando-o no chão. Com a queda, a espada de Authentic foi arremessada para perto do herói, que, ao recuperar sua arma, conseguiu com um único golpe arremessar Herobrine no abismo.

O inimigo de Builder, Nina e Authentic não gritou no seu caminho para a escuridão, apenas sussurrou do jeito irritante que costuma fazer:

– Isso ainda não acabou. Eu voltarei...

9

QUASE LÁ

COMPLETAMENTE EXAUSTOS COM A CAMINHADA E A LUTA, os três se sentaram e ficaram olhando para a espada.

Finalmente tinham conseguido completar a primeira metade da missão. Mas não havia tempo para comemorar, pois a parte mais difícil da jornada ainda estava para acontecer...

– Buiiiiildeeeer! – Nina falou, dando um abraço no amigo. – Nós conseguimos!

– É verdade, sua maluquinha! – disse Builder, feliz por estar reunido com os amigos novamente, todos sãos e salvos.

– Caraca, maninho! Nem acredito que essa belezinha está comigo de novo! – exclamou Authentic, com os olhos brilhando mais que o diamante da lâmina.

– É toda sua! Parte um completa! – Builder falou.

– E agora, para onde vamos? – perguntou Nina.

– Nina, por acaso você estava dormindo na reunião com o Prefeito? – respondeu Builder, com um tom de voz que misturava irritação com brincadeira. – Agora precisamos ir para o The End e acabar com o Ender Dragon de uma vez por todas!

– Ai, é mesmo! – Nina exclamou, batendo com uma das mãos na própria testa. Eu me lembro de ter escutado alguma coisa sobre isso, mas o Prefeito insistia em falar ao mesmo tempo em que eu...

– Acho que, na verdade, era o contrário, maninha... – respondeu Authentic, rindo da menina.

– Bom, dá na mesma!

Builder riu. – Você não percebeu? Ele é muito amigo do seu pai. Não queria encorajar você a vir conosco.

– Isso não importa mais – respondeu Nina. E como vamos para o The End?

– Primeiro precisamos sair desse lugarzinho tenebroso – respondeu Builder.

Eles seguiram pelo caminho que levava a uma caverna na parede. Percorreram alguns túneis bem iluminados, até chegarem em uma área espaçosa, com uma colina no fundo.

– Acho que aqui está bom, né? – disse Builder a Authentic.

– Sim, aqui dá para fazer!

– Fazer o quê? – perguntou Nina, confusa.

– O portal para o The End! É o único jeito de chegarmos lá – respondeu Authentic.

– Se alguém não tivesse passado tanto tempo falando na reunião... –Builder brincou novamente.

– Tudo bem, já entendi... Nina precisa falar menos! – respondeu a garota. – E você precisa parar de fazer piada repetida, Builder! – A garota deu um tapa no ombro do amigo.

– Ai!!! – Builder exclamou, colocando a mão no ombro.

– Talvez você tenha merecido – Authentic sussurrou para o amigo, com uma piscada.

O herói começou a rir. Nina concordou com Authentic e caiu na risada também. Builder, animado, repetiu o mesmo gesto. Era bom encerrar essa etapa com tanta risada. Infelizmente, aquele momento não durou muito...

Em resposta ao eco das risadas dos amigos, as paredes do salão tremeram com uma fortíssima pancada. BUUUUUM!

Os aventureiros se entreolharam, sem entender o que estava acontecendo, mas esperando pelo pior.

BUUUUUM!

Pedregulhos caíram do teto. Uma grande rachadura se formou, fazendo os heróis sacarem suas armas, preparados para enfrentar o que estivesse do outro lado do paredão.

BUUUUUM!!!

CRAAAAAAAAASH!!!

Com um barulho muito alto, a parede explodiu e um punho gigantesco a atravessou. Enquanto as pedras caíam, o trio observava paralisado um esqueleto colossal entrar no salão, seguido por um rio de lava que se espalhava para todos os lados e dezenas de mobs.

SE NÃO BASTASSE O EXÉRCITO DE MOBS, OS RIOS DE LAVA AMEAÇAVAM ENGOLIR OS HERÓIS.

– A lava, pessoal! – Authentic gritou. – Fujam. Corram para a colina, rápido!

Os amigos subiram a colina, mas se depararam com dezenas de esqueletos que os aguardavam, prontos para a luta. Nina começou a tirar suas famosas bombas da mochila e arremessá-las na direção dos inimigos ossudos, que começaram a estourar feito pipoca.

Enquanto os aventureiros lidavam com os esqueletos comuns, a monstruosidade esquelética se aproximava devagar.

– É o fim da linha! Ninguém jamais conseguiu derrotar o Rei Caveira!

– Que nome mais tosco! – disse Nina, enquanto detonava mais um esqueleto próximo a ela. – Como é que a gente luta contra aquilo?

– Deixa comigo, maninha! – respondeu Authentic, se separando do resto e correndo para encarar o monstrengo.

Builder e Nina acabaram com os esqueletos restantes bem a tempo de ver Authentic chegar no limite do lago de lava que havia se formado no salão, com a cara na altura da canela do Rei Caveira.

– Ô, da caveira! Aqui embaixo, ó! – gritou Authentic.

– Olha só, uma formiguinha falante! Que bonitinha! – respondeu o mob gigante.

– Muito prazer, sou Authentic, o cara do mundo da superfície que vai derrotar você!

– Hahaha! Boa sorte, inseto! – O Rei Caveira riu enquanto descia um pé enorme na direção de Authentic.

O herói pulou para o lado no último minuto com muita destreza, e usou sua espada de diamante para fazer um corte enorme no osso da canela do monstro. O pezão acertou o chão e rachou na altura do corte, rolando para longe e desequilibrando o Rei Caveira, que tombou na lava.

– Aaaaaarrrghhh! Meu pé!

– Eu avisei você! Agora vem pra ter um pouquinho mais, vem! – brincou Authentic, com um sorriso no rosto.

– Uau, eu tinha esquecido como aquela espada é incrível! – Builder sussurrou baixinho, impressionado.

– Isso aí Authentic, tamanho nunca foi documento! – retrucou Nina, que era a menor do trio.

– Toma essa, Rei Caveira! Agora vai ter que lutar comigo sentado! Agora você é o Rei Cadeira! Hahaha! – brincou Authentic.

O Rei Caveira, com raiva da piadinha do herói, conseguiu se levantar em uma única perna e tentou agarrar Authentic com uma das mãos...

ZAP!

Outro corte de Authentic! E a mão do Rei Caveira sofreu o mesmo destino do seu pé. A situação estava cada vez mais difícil para as forças do mal.

– Aaaaaarrrggghh! De novo! Não é possível!

– É bem possível sim, seu monte de ossos! Agora que recuperei a minha espada, ninguém me segura! – respondeu Authentic, feliz em contar com sua companheira de batalhas. – E aproveita para espalhar para os seus amiguinhos mobs que invadir o mundo da superfície nunca vai ser moleza! Nós estaremos lá para protegê-lo!

O Rei Caveira partiu em retirada, saltitando em um pé só e fazendo promessas de vingança. Na verdade, o que ele mais queria era nunca mais ver o Authentic, nem mesmo de longe!

– Que tal criarmos o portal para sairmos de uma vez daqui, maninhos? – disse o herói fazendo uma firula com a espada e alcançando os amigos no topo da colina. – Prepare-se, Ender Dragon! – ele gritou, confiante.

Todos sorriram e se abraçaram, aproveitando aquele momento de triunfo depois de tantos problemas e provações. Tiraram um descanso merecido de alguns minutos antes que Authentic começasse a preparar o portal.

10

O PRINCÍPIO DO FIM

AUTHENTIC COMEÇOU A CONSTRUIR UMA ESPÉCIE DE ALTAR com pedras estranhas, uma mistura de obsidiana com jade e algum outro material raro. Os blocos tinham buracos circulares e formavam um grande retângulo no chão.

O herói começou a retirar esferas da mochila que pareciam ter um olho de algum réptil – dava para perceber pela pupila. Authentic estava colocando cuidadosamente um olho em cada buraco do altar.

– Que nojooooo! O que é isso, Authentic? Eecaaa! – exclamou Nina, dando alguns passos para trás.

– São Olhos de Ender, maninha. Sei que é esquisito e meio nojentão, mas precisamos disso.

Quando Authentic colocou o último olho no altar, a coisa toda se iluminou e um líquido preto e denso começou a encher todo o espaço entre o chão e a borda.

– Bom, é isso, maninhos. É aqui que nos separamos. Voltem com cuidado – disse Authentic, muito sério.

– Você ficou maluco, cara? – Builder reagiu.

– Como assim? – exclamou Nina. – Nós vamos juntos!

– Não, não vão – respondeu Authentic, com a voz calma. – Vocês me ajudaram até aqui e foram incríveis, mas daqui para frente é comigo, pessoal.

– Isso é um absurdo, Authentic! – Builder e Nina disseram ao mesmo tempo.

– Não é, maninhos... Vocês não sabem disso, mas não tem jeito de voltar do The End. É uma viagem sem volta.

Os amigos ficaram em silêncio por muito tempo, contemplando o que aquilo queria dizer. Saindo vitorioso ou não, Authentic não veria mais a Vila Farmer, o Porto das Lágrimas, a Floresta das Agulhas nem qualquer outra coisa do mundo da superfície. Era um grande sacrifício de qualquer maneira. Um sacrifício que os aventureiros só conseguiam entender ali, enquanto olhavam para seu herói: o simpático, ousado, engraçado e valente fundador da vila.

Builder e Nina se entreolharam, ainda em silêncio. Com um suspiro, Authentic pegou sua mochila e deu as costas à dupla. Pisou na borda do altar e respirou fundo, preparando-se para saltar para a outra dimensão. Enfrentar o Ender Dragon era algo que ele precisava fazer.

E AÍ MANINHO... VOCÊ E NINA VÃO DEIXAR O AUTHENTIC ENFRENTAR O ENDER DRAGON SOZINHO?

Segundos antes de saltar, Authentic sentiu uma mão em seu ombro. Ele se virou e viu seus amigos prontos para o resto da viagem, com mochilas nas costas e as armas empunhadas. Eles não pareciam nem um pouco tristes.

– Você acha mesmo que vamos deixar você enfrentar o Ender Dragon sozinho? – perguntou Builder.

– É isso aí. Quero ver você me parar, Authentic! – gritou Nina. – Uhuuu!

Authentic riu, comovido e feliz por contar com os amigos nessa nova aventura.

– É... acho que eu fui muito inocente em achar que poderia impedir vocês dois de fazer algo!

– Só um pouquinho... – disse Nina, colocando as mãos na cintura com um sorrisão.

– Então, vamos lá!

MANINHOS E MANINHAS

O QUE PODEMOS APRENDER COM ESTE LIVRO:

▶ Os pais só querem nos proteger das coisas ruins do mundo. Quando eles nos proíbem de fazer alguma coisa, eles estão demonstrando o amor que sentem por nós.

▶ Bons amigos sempre vão querer ajudar você nos momentos difíceis, mesmo que prefira resolver tudo sozinho.

▶ Ouvir coisas que nos deixam chateados, como as provações mentais de Herobrine, pode doer mais que um machucado de verdade. Por isso, temos que ter bastante cuidado com o que falamos se não quisermos deixar ninguém triste.

▶ Sempre escute a opinião dos seus pais antes de tomar qualquer decisão. Eles são os seus melhores conselheiros.

Em 2011, quando MARCO TÚLIO publicou seu primeiro vídeo no YouTube, ele nem imaginava o sucesso estrondoso que o seu canal AUTHENTICGAMES faria.

Como todo mineiro – o jovem nasceu em Belo Horizonte, ele foi conquistando o público aos poucos com dicas para quem é fã do universo pixelado de Minecraft. Mas não demorou muito para o canal crescer e tomar a proporção gigantesca que tem hoje: são mais de 19 milhões de inscritos e mais de 8 bilhões de visualizações.

Depois do sucesso do livro AUTHENTICGAMES – VIVENDO UMA VIDA AUTÊNTICA, o novo desafio do youtuber é desbravar o mundo da ficção, e, assim como tudo que já fez, começou muito bem!

 authenticgames

 authenticgames

 authenticgames

 authenticgames

 canalauthenticgames.com.br